ONDER ONS

Kate Walbert

Onder ons

Vertaling Nina van Rossem

2005

DE BEZIGE BIJ

AMSTERDAM

Cargo is een imprint van uitgeverij De Bezige Bij, Amsterdam

Oorspronkelijke titel *Our Kind*
Oorspronkelijke uitgever Scribner
Omslagontwerp Marry van Baar
Omslagillustratie Photonica/Imagebank
Foto auteur Jerry Bauer
Vormgeving binnenwerk Peter Verwey, Heemstede
Druk De Boekentuin, Zwolle
ISBN 90 234 1575 2
NUR 302

www.debezigebij.nl

Voor mijn moeder

Vraag in een weiland

Weiland, stenen muur en toren,
Door wie wordt het hart doorboord?
Hartverscheurende lelijke mensen,
Of het gruwelijk prachtige soort?

LOUISE BOGAN

INGRIJPEN!

Het was een van die sprankelende uitspraken – wat een lef! Zie je ons voor je? Canoe haalde haar schouders op, dat was te verwachten. Per slot van rekening was Canoe degene onder ons die van de drank gered was; zij was het die die folders neerlegde in het clubgebouw naast de bar voor de heren.

Toch: wat een lef!

Ingrijpen.

Canoe liet haar knokkels knakken, stak een sigaret op. We zaten bij haar zwembad en trokken gedachteloos het onkruid uit de grond rond de flagstones. Het ijs in onze ijsthee was al gesmolten en het was trouwens te koud om te zwemmen.

'Het is duidelijk,' zei Canoe, haar rook uitblazend. 'Binnen een maand pleegt Hij zelfmoord. Ik wil dat bloed niet aan mijn handen hebben.'

Wie wel?

Hij was iemand van wie we hielden. We moesten wel van Hem houden, of we wilden of niet. Een collega van onze ex-mannen, iemand die we vroeger weleens ontmoetten. We kenden Hem van voor de tijd dat wij wij waren, vanaf onze eerste weken in deze stad, die eerste zomers. We hielden van Zijn haar. Goudblond. Net zo'n kleur als die filmster, die beroemde. Soms vingen we alleen een glimp op door de voorruit van Zijn BMW, wanneer Hij voorbijreed. Sportief. Wuivend. Metallic groen, leren bekleding. Een of ander monogram op het stuur. Heb je dat nummerbord weleens gezien? SOLD, verkocht. Een makelaar, maar niet zonder scrupules. Ja, Hij heeft het huis in tudorstijl van onze Mimi Klondike aan Twelve Oaks Lane verkocht terwijl Hij heel goed wist dat de fundering rot was. Maar zonder scrupules? Nee. Alleen dorstig.

'Ingrijpen,' herhaalde Barbara. Canoe kromde en strekte haar tenen alsof ze het woord had uitgevonden.

Het was op een dag in de nazomer, een herfstachtige dag. Ricardo, de jongen die het zwembad onderhield, schepte esdoornbladeren uit het zwemwater, die in dit licht een matte, bleekgele kleur hadden. Wij keken naar hem; we konden onze ogen niet van hem afhouden. Canoe stoorde ons.

'Eigenlijk ben ik niet de aangewezen persoon om dit uit te leggen. Iemand in onze groep weet hier alles vanaf. Pips Phelp.'

Pips Phelp? De advocaat? Pips Phelp?

We praatten op een fluistertoon. Je kon nooit weten wie ons in de bomen zat af te luisteren.

Trouwens, Hij kon elk moment komen aanrijden. Dat deed Hij vaak. Dan hoorde je het knerpen van Zijn banden op het grind, je zag de flits van Zijn blonde haar achter de voorruit. Wanneer dat gebeurde droogde je je handen af aan je blouse, en monsterde je gezicht in de broodrooster. Je wilde toch zeker niet betrapt worden? Alleen? Je liet Hem binnen. Dat vroeg Hij altijd. Hij stond bij de voordeur, achter de hordeur, en vroeg of Hij mocht. Natuurlijk, zei je dan, hoewel je er vreselijk uitzag. Als je pech had stond de afwasmachine aan. Een van de lawaaiigste programma's. Als je geluk had, was alles stil – het huis op orde, als door toverkracht, vlekkeloos, schoon. Hij inspecteerde de boel: dat was Zijn vak. Je wist maar nooit, zei Hij, wanneer je Hem nog eens nodig had.

Je huiverde. Een knappe man. Een man die gewend was om dicht bij je te komen staan. Zijn geur: dierlijk, aards – zoals je handen nadat je in de tuin gewerkt had. Zijn regelmatige tanden waren wit, hoewel Hij nooit op die manier glimlachte. Zijn glimlach was mooier, zonder tanden, vluchtig, alsof Hij wel begreep dat Hij je had betrapt op ergere dingen dan een natte blouse. Dat vermoeden klopte. Er was altijd wel iets waarover je je schuldig voelde.

Desondanks liet je Hem zien wat je had gedaan, wat je wilde doen. Verbeteringen van de laatste tijd. Wat al niet. Een staal nieuwe stof over de rugleuning van de bank. Een rol afgeprijsd behang voor in de wc, een bepaald soort schelpen. Je had je best gedaan, zei je, om de boel op te knappen. Maar de zaken hadden vertraging opgelopen, de aannemer moest zijn aandacht verdelen enzovoort, enzovoort.

Hij knikte, of niet. Zijn werk was een serieuze zaak: het vaststellen van een prijs. De waarde.

Ricardo, de zwembadjongen, presenteerde sandwiches. In opdracht van Canoe hadden we een paar dagen nagedacht over de verantwoordelijkheid van onze actie: de onvoorwaardelijke inzet, de bezwaren, de discipline, de opoffering. Nu zat Esther Curran ook in ons midden. Een van ons had haar uitgenodigd. Ze vertelde dat Hij haar een huis met een veranda, typisch voor Cape Cod, had laten zien in de buurt van Grendale Knoll, na de dood van Walter, toen ze dacht dat ze het niet kon verdragen – het huis, de herinneringen –, en dat zij, Esther, niet langer een mooie vrouw was. Op dit punt trok Esther de korst van haar sandwich en keek de andere kant op.

We zaten om haar heen op Canoes smeedijzeren tuinstoelen; het was te koud voor de ligstoelen. Het weer was plotseling omgeslagen, en het was ons een raadsel waarom we bij het zwembad zaten, tenzij het iets te maken had met Ricardo. We keken hem na terwijl hij terugliep naar het badhuis, en wendden ons weer tot Esther.

Dit was het punt, zei Esther, hoewel ons dat misschien was ontgaan.

Hij had haar hand vastgepakt. Hij had die gestreeld. Hij had haar verteld over de mogelijkheden. Er hoefde niet veel te gebeuren – de serre moest worden gesloopt, een paar dakspanen vastgemaakt, de keuken opgeknapt. Denk erover na, had Hij tegen haar gezegd.

We keken naar Esther met peinzende blikken. We hadden haar nooit begrepen. Ze was zo rijk als Croesus, maar ze reed in een Dodge en was altijd op koopjesjacht in de Safeway-supermarkt. Haar man, Walter, was jaren geleden gestorven, maar ze praatte nog steeds over hem alsof hij even naar de stad was gegaan om melk te halen en ieder moment kon thuiskomen. Ze liet haar haar grijs worden en haar nagels verslonzen. Weliswaar was ze altijd een buitenbeentje in de groep geweest – ze schilderde, ze hield kameleons in de gordijnen van haar woonkamer, en kwam vaak op feestjes met verf aan haar handen –, maar we hadden gehoord dat ze de laatste jaren meerdere malen in de kleine uurtjes naar huis was gebracht nadat iemand haar, in een badjas en op slippers, dolend had aangetroffen op de oude Route 32, die gelukkig niet druk was, want ze had net zo gemakkelijk aangereden kunnen worden als een zwerfhond.

Nu zat ze hier tussen ons in.

'*Ingrijpen*,' zei ze, 'is een woord waar ik niet bijzonder dol op ben.' Esther sneed haar sandwich zonder korst in negen gelijke stukken. 'Walter en ik zijn voorstanders van de vrijheid-blijheid-filosofie,' ging ze verder, 'maar in bepaalde onvermijdelijke omstandigheden, zoals die waar wij vandaag tegenover staan, zou ik zeggen: ja. Ik zou zeggen: we moeten ingrijpen.' Ze pakte een stukje brood en wij wachtten, in de veronderstelling dat Esther er nog iets aan zou toevoegen, maar ze glimlachte alleen en stak het in één keer in haar mond.

'Eerlijk gezegd,' zei Canoe, en ze wendde zich tot Pips Phelp, die de vergadering had georganiseerd en een eindje buiten de kring in een ligstoel zat, 'wil ik niet te horen krijgen dat Hij tegen een telefoonpaal te pletter is gereden. Ik zou mezelf niet meer in de ogen kunnen kijken.'

Pips Phelp knikte. We kenden hem van de golfclub, een van de vele heren die in een golfkarretje voorbijzoefden naar een plek verderop, een gehandschoende hand aan het stuur. Hij leek weinig tekst te hebben, leek te zwijgzaam voor iemand die ingrijpt, hoewel Canoe volhield dat hij bedreven was in dit soort zaken. En we hadden gelezen dat we hem nodig hadden: een leider, iemand die de discussie aanzwengelt.

'Dat begrijp ik,' zei hij.

We spraken af om elkaar de volgende dag te ontmoeten op de parkeerplaats van de Safeway, voor een generale repetitie. Pips Phelp zou Hem spelen. Waren wij er volledig van doordrongen, had Pips duidelijk gezegd, dat dit niets meer of minder was dan een hinderlaag? We zouden niet veel tijd hebben, zei hij. Hij zal zich tegen jullie verzetten. Hij zal willen vluchten. Hij zal jullie beschuldigingen ontkennen. Je zult snel tekst en uitleg moeten geven. Je mag Hem in geen geval toestaan Zijn auto te verlaten. (We hadden besloten dat we Hem daar zouden vinden.) Wanneer het voorbij is, gaat één van jullie achter het stuur zitten en brengt Hem naar het Instituut. Jullie laten Hem opnemen. Het is allemaal geregeld.

Pips Phelp zat nu in zijn Buick, de motor draaide. We zagen hem duidelijk, hoewel we deden alsof we hem niet zagen. Dat hoorde bij het plan. We kwamen aanrijden in Vivs auto en stapten een voor een uit, zonder een woord te zeggen. Canoe floot even en we omsingelden de Buick, als in de roes van een kostschoolavontuur. Waar waren we mee bezig? Zag iemand ons?

Pips Phelp deed alsof hij ons niet zag. Hij was een armzalige plaatsvervanger voor Hem, om je de waarheid te zeggen. Hij zat met zijn dikke buik klem achter het stuur, waar hij met zijn vingers op trommelde. Hij rook naar kauwgom of pepermuntjes, naar pretzels, naar pogingen om van het roken af te komen. We wisten dat hij zwak was. We wisten dat we hem konden vertrouwen. Zijn vrouw, Eleanor, zag eruit alsof ze zich eeuwig en altijd verveelde; zijn kinderen waren erg prestatiegericht. Je kunt wel raden wat voor blije stickers hij op de bumper van zijn Buick had geplakt. Hij was een heggensnoeier, een bladharker, een modelscheepjesbouwer; hij was een man die er niet over piekerde om zijn huis te verkopen. Elk voorjaar plantte hij rode en roze balsemienen in de borders langs de oprijlaan naar zijn huis – een boerderij even voorbij de begraafplaats.

'Pips!' Dit kwam van Canoe, die deed alsof ze verbaasd was – het sein voor ons om te verzamelen. Pips keek op, zette de motor uit. 'Canoe!' zei hij – het sein voor ons om zijn portieren open te doen. Canoe was al op de stoel naast hem gegleden en rukte het sleuteltje uit het contact. Onze harten bonkten te luid, als trommels. We waren niet gewend om in te grijpen.

'Wat is dit?' vroeg Pips. 'Wat doen júllie hier?' Hij had geen acteertalent. Hij klonk als een spotje dat je midden in de nacht op televisie ziet.

'We zijn hier omdat we van je houden,' zei Canoe. 'We zijn hier omdat jouw leven ons aan het hart gaat.'

We bloosden. Hoe kon het ook anders? Pips' leven ging ons helemaal niet aan het hart. We wilden Hem. We wilden Zijn gladde leren schoenen, Zijn geruite sokken, Zijn double-breasted jas van blauw kasjmier. We wilden dat Hij ons later dankbaar zou zijn.

'Waar hebben jullie het over?' vroeg Pips, zich omdraaiend naar degenen die op de achterbank zaten. Enkelen van ons pasten er niet in en stonden buiten tegen de raampjes geleund. 'Wat krijgen we nou?'

We moesten lachen, we konden er niets aan doen. 'Doe me een lol, Pips,' zei Viv om hem een hint te geven. 'Hij zou nooit zeggen "Wat krijgen we nou?"'

Pips keek ons aan en keerde zich weer naar de voorruit. Hij hervond zijn kalmte, hij had een eindeloos geduld; toen draaide hij zich weer om. 'Wat heeft dit te betekenen?' vroeg hij.

'Het betekent dat we ongerust zijn,' zei Viv. 'Jij bent ziek. Dat is niet jouw schuld. Je kunt er niets aan doen. Het is erfelijk. Je hebt hulp nodig. Wij komen je helpen.'

Sommigen van ons beten op hun nagels.

Pips lachte net zoals Bela Lugosi. 'Ziek? Ik? Wat bedoel je met deze ongefundeerde beschuldigingen? Ik heb me nog nooit zo goed gevoeld. Volgens mij hebben júllie psychische problemen.'

Dit ging helemaal verkeerd. We klonken geen van allen levensecht.

'Wat we proberen te zeggen,' begon Judy Sawyer, maar ze wist het niet meer. Daarop volgde er een lange, pijnlijke stilte. Canoe zuchtte hoorbaar. 'Kom op, dames,' zei ze. 'Dat was geen goed begin.' Daarna deed ze het portier open en stapte uit, ons een teken gevend dat we dat ook moesten doen. Dat deden we, terwijl Pips bleef zitten wachten en opnieuw deed alsof hij zojuist was komen aanrijden.

Je moet weten dat wij een hechte gemeenschap vormen. We wonen hier al jaren, wat niet betekent dat onze voorouders hier begraven liggen; dit is eenvoudig de plaats waar we allemaal zijn terechtgekomen. We zijn getrouwd in 1953. Gescheiden in 1976. Onze volwassen dochters hebben medelijden met ons, onze volwassen zoons zijn ons vergeten. We hebben kleinkinderen die we zo nu en dan opzoeken, maar hun gedrag werkt ons op de zenuwen, en dus gaan we weer naar huis, gespannen, dankbaar dat we ze van een afstand kunnen bekijken.

De meesten van ons kunnen heel goed tennissen.

Het ligt niet in onze aard om in te grijpen. Dat stuit ons tegen de borst, het is helemaal niets voor ons. We weten dat er verschillen zijn, maar streven ernaar om ze niet te laten zien. We zijn in kalm vaarwater beland, we zeilen rustig voort. Ja, sommigen van ons zijn in therapie, maar we geloven eerlijk gezegd dat dat een bevlieging is, net als onze vroegere passie voor fondue, of die cursus waarop we papierknipsels leerden maken.

We hebben veel meegemaakt. We hebben de moord-zelfmoord van de Clifford Jacksons meegemaakt, Tate Kieley die de gevangenis in ging voor verduistering, Dorothy Schoenbacher die in augustus met alleen een minkjas aan van het dak van de Cooke's Inn sprong. We hebben meegemaakt dat Dick Morehead werd gearresteerd in de paskamer op de damesafdeling van Lord & Taylor, terwijl hij bezig was om zich in een petieterig lingeriesetje te persen. We hebben meegemaakt dat Francis Stoney gek werd, en dat Brenda Nelson aan de cocaïne raakte. We hebben meegemaakt dat de Stewart Collisters gedeballoteerd werden. We hebben meer dan genoeg leugenaars, bedriegers en dieven meegemaakt. Zuiplappen? Niet te tellen.

Toch is Hij iemand van wie wij houden. En we houden eerlijk gezegd maar van weinig mensen.

De dag na de repetitie ontmoetten we elkaar weer 's morgens vroeg bij de Safeway. Canoe had een thermoskan met koffie bij zich en we stonden in de vroege kou koffie te drinken uit plastic bekertjes, net zoals bij een picknick voor een rugbywedstrijd. Het leek ook wel een rugbywedstrijd, het was echt rugbyweer, veranderlijk, dreigend, de ganzen toeterden boven ons hoofd, ze vlogen naar een ander gebied. Door de harde wind rolden er een paar winkelwagens alle kanten op, alsof ze werden voortgeduwd door de geesten van vroegere klanten. Er dwarrelden ook allerlei waardebonnen en folders in het rond. Canoe bood ons een koffiebroodje aan, maar we sloegen het af. We waren, alles bij elkaar genomen, zenuwachtig. We vonden het leuk om elke week voorraden in te slaan bij de Safeway; we maakten lijstjes. Maar dat gehang op de parkeerplaats gaf ons bijna het gevoel alsof we in overtreding waren; we waren ver verwijderd van het Canoes zwembad en de lome veegbewegingen van Ricardo. Toen we eindelijk de Buick van Pips Phelp de parkeerplaats op zagen draaien, was ons enthousiasme onmiskenbaar getemperd.

Pips scheen het niet te merken. 'Dames!' riep hij, en hij sloeg het portier dicht na het uitstappen. 'Een heel goeie morgen!'

Haalde die man zijn tekst altijd uit een of ander draaiboek?

'Waarom kijken jullie zo ongelukkig?' zei hij.

'Ze komen er wel overheen,' zei Canoe. Ze gooide haar plastic bekertje op de grond en plette het, draaiend met haar platte schoen alsof ze een sigarettenpeuk uitdrukte. We keken toe, gefascineerd. Je hoeft ons niet te vertellen dat we tijd rekten. Canoe klom in haar jeep en draaide het raampje naar beneden. 'Je moet goed begrijpen,' zei ze tegen hem, 'ze zijn niet gewend aan onaangename dingen.'

We hebben weliswaar veel meegemaakt, maar we weten zo weinig. Hoe hadden we iets kunnen leren? Jaren geleden zijn we meegevoerd langs het pad van plezier, daarna zijn we in de steek gelaten bij de karpervijver. Laat het voldoende zijn te zeggen dat hier weinig voedsel is, en de karpers hebben vreemde gezwellen. Wanneer we in de vijver kijken zien we ze zwemmen onder onze waterige gezichten.

Maar stel je de gevolgen voor: Hij verdwijnt van het toneel.

We persten ons gehoorzaam in de auto. We klikten onze

veiligheidsgordels vast. We wendden ons naar Pips Phelp, die de militaire groet bracht, en zwaaiden naar hem. Canoe liet de motor van de jeep razen. 'Hi-ho, Silver,' zei ze, en daar gingen we, met het plan om Hem koste wat kost op te sporen, de stad te doorkruisen, zijn hele werkterrein uit te kammen. Pips Phelp volgde ons in zijn Buick; we zagen zijn slappe roze gezicht in de achteruitkijkspiegel. We waren niet aardig. We maakten grappen. We zeiden tegen elkaar dat Pips zo gewoon was, zo volkomen voorspelbaar. We zeiden dat Hij Pips Phelp met één vuistslag kon verpletteren.

'Tsjakkaa!' riep Barbara. En ze meende het. 'Tsjakkaa! Tsjakkaa!' Ze stompte met haar vuist in de lucht.

'Vanwaar die woede?' vroeg Mimi Klondike, alsof ze hier ook moest ingrijpen.

Barbara haalde haar schouders op. 'Misschien had ik er zin in,' antwoordde ze.

Esther zei niets, merkten we op. De laatste tijd was ze niet vaak van de partij, en nu had ze er net zo goed niet kunnen zijn. Ze zat op de achterbank van de jeep uit het raam te staren met een soort schilderskiel waarin wij ons voor geen goud zouden vertonen over haar benen. In haar zakken zaten brieven aan mensen die wij nooit hadden ontmoet; zo te zien had ze haar haar niet gewassen.

'Esther?' vroeg Mimi Klondike. 'Waarom kijk je zo ongelukkig?' Barbara gniffelde, maar Esther keerde zich gewoon naar ons toe. Misschien lag er een glimlach op haar gezicht, of misschien was dit haar normale gezichtsuitdrukking. Achter haar schoof het vertrouwde landschap – verkleurende esdoorns, stenen muren, oprijlanen van grind, pasgewassen auto's, kinderen, paarden, honden – voorbij. Maar we keken naar Esther.

'Ik zat te denken hoe vreemd,' zei ze ten slotte. 'Ik zat te denken hoe vreemd het is om te leven.' Toen wendde ze haar hoofd af. We reden zwijgend door; wat moesten we anders? De tijd verstreek en we overdachten onze gedachten; we dachten aan Hem. Hoe Hij Zijn zaklantaarn richtte op onze zielen, op onze souterrains. Hoe Hij alles nakeek op droogrot, houtworm, de lijkjes van vliegende insecten. We zagen Hem zoeken in het donker en riepen naar beneden: 'Heb je hulp nodig?'

'Bingo!' riep Canoe. Ze trapte keihard op de rem van de jeep. 'Bingo Bango!'

We bogen ons naar voren en keken. 'Wat is er?' vroegen we. 'Hij?'

Ja, daar: midden op Louise Coopers grasveld vol bestrijdingsmiddelen stond een bord: MAKELAARDIJ SOLD, zojuist in de grond geslagen. Daarnaast stond Zijn donkergroene BMW, net zo gepolijst als zijn nagels, stationair te draaien op Louises oprijlaan – niet te zeggen of hij kwam of ging. Henry Cooper, met vervroegd pensioen, was onlangs dood neergevallen toen hij een bal sloeg op de achttiende green. We wisten dat Louise erover dacht om naar Captiva te verhuizen. Toch waren we jaloers omdat Hij affectie voelde voor iemand anders. Louise? dachten we. Zij?

'Kalm blijven!' riep Canoe, en ze draaide de oprit in. Onze handen lagen op onze schoot, onze voeten zetten zich schrap tegen de beklede vloer, toen ze remde. Mimi en Barbara doken impulsief weg. De rest van ons bleef stokstijf zitten. We wisten hoe het zou gaan: Pips Phelp zou achterblijven, op een afstand, hij zou er zijn als we hem nodig hadden, en klaarstaan om in zijn eigen auto achter ons aan te rijden naar het Instituut, voor de noodzakelijke administratieve rompslomp om Hem te laten opnemen. Het plan was goedgekeurd, het mechanisme was in werking gezet.

Canoe parkeerde de jeep en rukte aan de handrem. Dit was echt puur toeval. Het had ook gekund dat we Hem nergens hadden gevonden. We hadden te laat kunnen zijn. Nu waren we ter plekke – we luisterden naar de stationair draaiende motor en keken naar de damp die opsteeg van de motorkap. Het begon warmer te worden, het blauw brak door het grijs heen, de zon scheen plotseling met een verblindend licht. Het weerkaatste in het chroom van Zijn BMW, het schitterde in onze ogen alsof Hij een politiepenning toonde. Was Hij daar? Zagen we Hem ergens?

Canoe stapte uit. Ze sloeg het portier dicht en beende ernaartoe. Met grote passen. Canoe, de sterkste van ons allemaal. We zwegen. We wachtten op het teken: twee kuchjes, gevolgd door één keer klappen. Dat zou betekenen dat Hij in de auto zat; dan moesten we te werk gaan zoals we hadden afgesproken. Mimi, nog steeds weggedoken, draaide haar raam omlaag zodat we beter konden horen, maar wat we hoorden was een gewone dag: een blaffende hond, krekels, een sirene aan het andere eind van de stad. Te midden van die alledaagse geluiden knerpten de laarzen van Canoe over het grind; Canoe klopte aan.

Hier moet vermeld worden dat Hij een paar maanden geleden een nieuwe BMW heeft gekocht. Het nieuwste model. Leid hieruit af dat Hij least. In Zijn beroep moet het belang van de auto niet worden onderschat. Elk jaar ruilt Hij hem in. Desondanks blijft het nummerbord zoals het is: SOLD. De kleur: donkergroen. Maar deze is een klein beetje anders: de ramen zijn donker, alsof we worden afgestraft voor onze niet-aflatende aandacht.

Maar Hij kan ons niet ontsnappen. We weten wanneer Hij komt en gaat, kennen Zijn ringmaat. We weten dat Hij tussen de middag bij de Stone Barn vissoep bestelt, een kop koffie, en een tosti. We weten dat Hij moeite heeft met vreemde talen, volkomen in het duister tast over alles wat met wiskunde te maken heeft. We weten dat Hij als kind heeft gezien waar de burgemeester het gouden paasei verstopte, en daarna schaamteloos deed alsof Hij het vond. We weten dat Hij droomt dat Hij mensen doodt. We weten dat Hij Zichzelf op onwelvoeglijke plaatsen krabt, en in Zijn neus peutert, dat Hij 's morgens een slechte adem heeft, dat Hij zwarte haren uit Zijn oren knipt en Zijn wenkbrauwen epileert.

We weten dit alles en nog veel meer: Zijn slechte rug, Zijn onlesbare dorst. Hij is onze trouweloze man, onze arme vader. Hij is onze zoon die niet wil deugen, onze intrigant, onze schurk. Hij is onze lafaard die conflicten uit de weg gaat, onze leugenaar. Hij heeft al zijn beloften gebroken.

En toch houden we van Hem.

'Hij is vast binnen,' roept Canoe achterom naar ons. 'Kom mee.'

We komen in beweging. We verspreiden ons. Onze harten zijn gespannen trommels. Onze voeten zijn van lood. Canoe loopt ineengedoken voorop en slaat de hoek om, weg van het doodlopende stuk. We rennen achter haar aan en gaan aan weerskanten van haar staan – Mimi aan het ene eind links, Barbara aan het andere eind rechts. We kruisen onze armen over de borst en wachten. Canoe probeert de voordeur. Die is open. Ze gaat naar binnen. Het is het huis van Louise Cooper, maar het zou net zo goed ons eigen huis kunnen zijn – de wc opzij van de hal, Louises handdoeken met een monogram. Er liggen Ivory-zeepjes in de vorm van schelpen, vuilgemaakt door de handen van de tuinman. Er hangt een stoffige kroonluchter die nooit wordt gebruikt, er liggen onbetaalde rekeningen op de secretaire. Een geborduurde giraffe, verzwaard met zand, houdt de deur van de hobbykamer open. Hier zouden we het echte leven van Louise kunnen vinden: haar televisiegidsen, dof geworden tennistrofeeën, ingelijste foto's van haar kinderen met gedateerde kapsels. Maar daar gaan we niet naartoe. In plaats daarvan blijven we in de lege hal staan wachten. Wat willen we horen? Wat willen we?

En dan horen we Hem. Hij praat met zachte stem, Hij fluistert. Het is een geluid dat we overal zouden herkennen: het geluid dat Hij maakt als Hij op zoek is. Een onaangekondigd bezoek. Als het klotsende geluid van de golven in de oceaan, als een zoutwaterkuur. Hij wil iets. Hij vraagt iets. Op deze manier heeft Hij tegen ons allemaal gesproken, heeft Hij onze vingers gekust. Hij heeft ons meegetroond door onze woonkamer, met Zijn hand tegen onze rug.

'Ssst,' zegt Canoe, alsof iemand iets gezegd heeft. Maar niemand heeft een kik gegeven. We staan daar aan de voet van Louise Coopers trap, zoals bruidsmeisjes die wachten tot ze het boeket kunnen vangen, maar we zijn geen bruidsmeisjes. We zijn vrouwen die bijna aan het eind van hun leven zijn. We kijken omhoog in het niets: de overloop, de slaapkamerdeuren.

Toch horen we Zijn stem overal. Welke kamer? Welke

kant op? Canoe gaat de trap op. Wij volgen. Boven aan de trap staan we stil en wachten. Niets. Geen enkel geluid, behalve iets onder de oppervlakte van de stilte. Wat? Iets wat we zo goed kennen: een huilende vrouw? Onze Louise? We lopen door het portaal, duwen tegen deuren – er zijn zoveel lege slaapkamers. In deze valt het daglicht – de lucht is blauw geworden – door de open ramen naar binnen op de gladgestreken katoenen sprei en de opgeschudde kussens, alsof Louise gasten verwacht; de volgende is net zo. We lopen snel door. We haasten ons. We duwen tegen deuren, maken kasten open.

We vinden haar pas in het dienstbodekamertje. Ze zit op een smal ledikant tussen allerlei spullen – een paspop van draadwerk, een geelgeverfde ladekast, een kinderspiegel. Er ligt geen mat op de vloer. Als we blootsvoets waren zouden we splinters in onze voeten krijgen, maar dat zijn we niet. We zijn geschoeid en ingeritst, dichtgeknoopt en bedekt; dat valt ons op omdat Louise het niet is. Ze heeft geen draad aan haar lijf, ze is helemaal naakt.

Als wij komen binnenvallen, bedekt ze zichzelf, ze trekt haar benen op en slaat haar armen eromheen om ze stevig bij elkaar te houden. Ze heeft zich tot een bal opgerold, Louise, en haar ogen lopen. Zonder iets te vragen weet ze wat onze missie is; ze wijst zwakjes in de richting van een smalle trap – de achteruitgang. Esther neemt de leiding en we haasten ons, onstuimig en roekeloos. We voelen dat we weinig tijd hebben en daarom struikelen we de trap af, onze platte schoenen krassen in het zachte hout, onze handen kletsen tegen de koude muren. Bij de achterdeur rennen we bevrijd naar buiten – de plotselinge frisse lucht, het plotselinge licht –, we stormen. We zouden onze armen kunnen spreiden. Vliegen.

We rennen zo snel naar buiten dat onze schoenen al een tijdje terug uit zijn gevlogen, zeven paar achtergebleven schoenen in een grillige lijn; ze zien eruit als veertien spreeuwen, onze zachte voetzolen springen over het grind, de stenen en daarna over het stoppelige gras in het weiland achter de tuin van de Coopers. Esther rukt aan de roodgeworden sprieten, Barbara en Mimi houden elkaar al rennend bij de hand. Viv en Judy achteraan, Canoe voorop. We moeten Hem zien te vinden, dat weten we. We moeten ingrijpen. We willen niet dat Hij tegen een telefoonpaal aan knalt. We willen dat bloed niet aan onze handen. We moeten Hem redden, nietwaar? We moeten Hem redden, vlug.

Maar eerst, nee. Eerst moeten we onszelf redden.

WALTER VAN ESTHER

Je zou kunnen zeggen dat we Esther Curran nooit hebben begrepen, maar dat nam niet weg dat we dol op haar waren. Ze woonde in een vervallen huis bij de oude Route 32, een huis dat ooit, toen haar man Walter nog leefde, een pronkstuk was van onze streek. Andrew Wyeth had een keer op een winterochtend hoogstpersoonlijk bij hen aangeklopt om te vragen of hij over hun velden mocht lopen om te schetsen.

'Ik zie die man nog voor me,' zei Esther altijd als ze het vertelde. 'Net zo gewoon als jij en ik, een echte heer, niet zo knap als Walter, maar hij had vriendelijke ogen.'

Hier glimlachten we altijd. Walter van Esther was uitgesproken lelijk geweest, de minst aantrekkelijke van al onze mannen. Sterker nog: als we een ranglijst maakten welke mannen de mooiste waren – wat we in de beginjaren van onze eerste huwelijken nog weleens deden –, zweefde Trip Goodrich onvermijdelijk naar de top, en zonk hij, Walter Curran, naar de diepte. Toch werd hij na zijn dood door Esther aanbeden, net zoals toen hij nog leefde. Ze sprak over hem in de tegenwoordige tijd en droeg zijn portret soms aan een touwtje om haar hals.

Hadden we werkelijk verbaasd moeten zijn?

We kregen de uitnodiging zoals je uitnodigingen krijgt voor allerlei gebeurtenissen: een avondfeest, het vrijgezellenbal, het huwelijk van een van onze kinderen of de geboorte van een kind. Ze nodigde ons uit, schreef ze, om de sterfdag van Walter te gedenken. Breng alsjeblieft een ovenschotel mee, schreef ze. Er wacht jullie een verrassing!

We braken ons het hoofd over de uitnodiging; het uitroepteken riep vragen op, maar dat kon heel goed niets te betekenen hebben. Wij gaan ons altijd te buiten aan interpunctie, onze agenda's staan vol met theatrale lijsten van boodschappen of dingen die we moeten doen – uien???!!!!; STOMERIJ!! Toch draaiden onze hersens op volle toeren.

Was het jaren geleden dat we Esther voor het laatst hadden gezien? O, toen we gingen Ingrijpen, natuurlijk, en zo nu en dan voor die tijd; wij wonen in een kleine stad. Af en toe liepen we haar tegen het lijf in de Rite Aid of de wc van de Rusty Scupper. Maar die ontmoetingen met Esther waren toevallig, niet gepland, en dus mompelden we meestal een groet en liepen door, onze handen grepen de gladde stang van het winkelwagentje, of verfrommelden de bruine papieren handdoek tot een prop. Begrepen we haar niet of begrepen we haar te goed? Het enige wat we wisten was dat ze al een hele tijd onze uitnodigingen afsloeg. Tot haar spijt. En kletspraatjes hadden haar nooit geïnteresseerd. Vroeger was ze de kunstenares van de groep; ze sprak Italiaans alsof het haar moedertaal was, want ze had op een chique meisjeskostschool gezeten, aan een meer in Zwitserland.

Maar de Esther van nu leek een ander wezen, ongrijpbaar zoals wij dat nooit zouden zijn: met één voet in de Safeway en één voet in het hiernamaals.

Laat het duidelijk zijn dat wij privacy hoog in het vaandel hebben.

Laat het duidelijk zijn dat wij er niet van houden om ons ergens mee te bemoeien.

Als een vrouw uit vrije wil in haar eentje in een bouwvallig huis bij de oude Route 32 woont; als het afval zich heeft opgehoopt in de modderige geulen van haar oprijlaan, en het duizendblad in de tuin manshoog is opgeschoten, is dat waarschijnlijk haar eigen zaak. Als ze een paar keer is gevonden, zwervend in een badjas en op slippers, op weg naar de Grange Hall, met handen in haar zakken die snippers van gebruikte tissues kneden, en vuile nagels, is zij uitstekend in staat, daar zijn wij het over eens, om zichzelf weer bij haar haren uit de modder te trekken.

God weet dat wij allemaal de nodige moeilijkheden hebben gehad.

Ze deed de deur open met gedroogde bloemen achter haar oren. Eerlijk waar. Op blote voeten. We deden alsof we het niet zagen, terwijl we naar binnen kwamen waaien met onze ovenschotels; het leek alsof we hier gisteren voor het laatst waren geweest, op een van haar theemiddagen met Kerstmis – de kinderen in hun overgooiers, die bij binnenkomst een revérence maakten, en er daarna vandoor gingen om aan de staarten te trekken van de arme kameleons die in de gordijnen zaten. Of we speelden softbal op Labor Day, wanneer de weilanden om Esthers landgoed een zee van guldenroede waren.

(Ze had ze nooit gehad, kinderen, maar dat nam niet weg dat ze veel van hen hield, speciaal van die van ons, ze onthield altijd hun verjaardagen en hun bijnamen. Lizzie Cooper zocht haar toevlucht bij Esther na het debacle op de Colin-begraafplaats; en het gebeurde vaak dat we tot onze schrik een van onze dochters in Brainard Park bij Esther zagen zitten – ze had iets zitten schetsen en was overvallen, maar ze had het schetsboek snel weggelegd; ze zaten met gebogen hoofd te beraadslagen over God weet wat.)

Het leek niet langer dan een week geleden dat we bij haar in de hal rummy speelden; op de kaarttafeltjes stonden manden met pompoenen en kalkoenen die gefabriceerd waren van speelkaarten, die ze aan elkaar had vastgemaakt met geverfde wasknijpers. Goud. Of we kwamen op haar gekostumeerde bal, verkleed met maskers en boa's, cheerleaderrokjes en tweekleurige schoenen, of hippiepruiken; zij was verkleed als vogelverschrikker, ze had haar beha en onderbroek volgepropt met stro zodat het jeukte als een gek, zei ze glimlachend, haar tanden waren zwartgemaakt met mascara.

Zij was de kunstenares van onze groep, hoewel ze altijd beweerde dat ze alleen maar wat aan rotzooide. Walter is het echte talent, zei ze altijd, doelend op zijn beelden – die er in onze ogen uitzagen als stukken gesmolten lood, verroest en verwrongen; we konden er geen vorm in ontdekken, al deden we nog zo ons best. Esther leidde ons van beeld tot beeld. Zo te zien was Walters werk tentoongesteld op elk plat vlak in het huis, en zelfs op de heuveltop in het weiland achter het huis – een plak staal, gekruld in de vorm van een schelp, als een aangespoeld voorwerp uit een verre oceaan. Zijn meesterwerk, noemde Esther dat. Hier was hij het meest geïnspireerd. Blijkbaar had hij ervoor gekozen om beeldhouwer te worden, ondanks zijn aanleg voor muziek, gedurende een van de malaria-aanvallen uit zijn kindertijd, toen hij gedetailleerde ontwerpen voor constructies tekende in de twaalf notitieboeken die Esther na zijn dood aan de bibliotheek schonk. Gay Burt had ze een keer voor de lol geleend, maar ze kon er geen touw aan vastknopen, zei ze, met uitzondering van een opgevouwen briefje dat ze had gevonden op de laatste bladzij van Dagboek V, geschreven in Walters vreemde, moeizame handschrift. Liefste, stond er. Vannacht, vannacht.

Maar sindsdien waren er jaren verstreken.

We zeiden tegen Esther dat ze er beter uitzag dan ooit. Zo ontspannen! Uitgerust!

In werkelijkheid zag Esther er in het schelle kunstlicht uit alsof de ouderdom plotseling had toegeslagen, alsof de ouderdom haar van de ene dag op de andere had overvallen: de gedroogde lavendel was het enige kleurige bij haar gezicht. Haar ogen, in onze herinnering groen, waren nu bijna beige, en haar neus, ooit mooi, zag er nu grof en knobbelig uit. Ze zou wel een facelift kunnen gebruiken, maar daar was ze de vrouw niet naar. Ze glimlachte en ging ons voor naar binnen.

Het rook er naar katten, de honden liepen ons voor de voeten en er zaten overal krammen over de scheuren in haar vlekkerige muren; je kon je voorstellen dat het hele pleisterwerk door een klein tikje van een hamer naar beneden zou komen vallen in een enorme paddestoelwolk. Sterker nog: het hele huis zag eruit alsof het door de eerstvolgende harde regenbui kon worden weggespoeld.

'Kijk eens naar het huis!' zeiden wij. 'Kijk toch eens!'

Vroeger waren we rijk, of het scheelde niet veel. Onze mannen hadden goede banen, in de in- en verkoop. Een paar jaar geleden zijn we met donderend hoefgetrappel bij hen weggegaan, met boze gezichten die niet verzacht werden door een verontschuldiging. Meestal hertrouwden ze, met jongere meisjes of vrouwen waar we niet veel in zagen.

Dat kon ons niets schelen. We hielden het huis en het zwembad, soms ook een tennisbaan. We trokken naar elkaar toe. Middagen op de club om negen holes te spelen, avonden in de Delphi om naar lezingen te luisteren: de bouwstijl van de Prairie-school, of iets dergelijks. Vroeger gingen we 's morgens altijd naar Canoe als het weer het toeliet; de kinderen konden goed met elkaar opschieten en waren oud genoeg om zichzelf te vermaken.

Nu klinkt er 'Marco? Polo!' in de verte, de kreet uit het zwembadspel, vertrouwd en verwacht, als een vertrekkende trein, die we niet meer kunnen halen.

Waar is de tijd gebleven?

Over Esther Curran wisten we het volgende: Walter had haar letterlijk aan de dood ontrukt toen hij haar redde van een onbestuurbare bus die haar zeker zou hebben overreden. De buschauffeur knalde tegen een kabeltram, waarbij hij als enige om het leven kwam, maar waardoor hij wel de hele elektriciteitsvoorziening in San Francisco voor de verdere dag lamlegde. Dat gebeurde in die exotische, veel te ver naar het westen gelegen stad: in het land van vruchten en noten.

Esther was daar met haar vader, een notoire dronkelap die later een eenzame dood zou sterven in een restaurant, terwijl hij zich verslikte in een hapje biefstuk.

We wisten dit en de rest van het verhaal: haar moeder was een wees – liefderijk opgenomen door Miss Porter – wier schoonheid iedereen die haar pad kruiste de adem benam, wat zeker gold voor Harry, Esthers vader: beneveld vanaf het eerste moment dat hij haar zag. In oude nummers van sommige kranten zie je die twee walsen op liefdadigheidsfeesten, Esthers moeder met handschoenen tot aan haar ellebogen en haar witblonde haar in een chignon, haar hals en schouders zijn zo glad als marmer; Harry leunt tegen haar aan, zijn cummerbund zit strak.

Je hoeft ons niet te vertellen dat Esthers verhaal absurd is, een sprookje: een meisje van achttien, een debutante, kersvers van een meisjesinternaat aan een meer in Zwitserland. Wij stelden ons altijd voor dat de kerktoren werd weerspiegeld in de glinstering van het wateroppervlak dat altijd glinsterde, door de blauwe lucht en de rust van de seizoenen in die streek. Daar declameerden meisjes als Esther poëzie in volmaakt Italiaans terwijl zij druiven pelden. Een meisje met net zulk witblond haar als haar moeder, gered door een jongen die bijna mooi was van lelijkheid; zijn vooruitstekende tanden beten hard in zijn onderlip terwijl hij zich uitsloofde om haar voorzichtig op de stoep te leggen, hij had bolle ogen door een te snel (of te traag) werkende schildklier. Wat van de twee? Wie wist het, en wat deed het ertoe? Hij was ziekelijk vanaf de eerste dag, zijn vale huid was bleek en hij begon al kaal te worden.

Was ze ongedeerd?

Ja, ja, het ging prima.

Zou hij haar naar een bankje brengen?

Nee, nee, haar vader was in de buurt.

Maar Harry was ertussenuit geknepen toen de voortrazende bus voortraasde, want zijn dochter was veilig in de armen van een andere man. Harry had een borrel nodig. Hij moest dringend ontsnappen aan die waakhond van een dochter, die hem had ontvoerd naar deze godvergeten kust.

Ze hoefden hem niet te vertellen wat hij moest doen; hij wist het heel goed. Hij had een borrel nodig. Misschien een paar. Hij zou haar wel weer vinden: het zag ernaar uit dat die menigte bleef staan, en zo te zien voelde ze zich op haar gemak in de armen van die keurige jongeman.

En zo kneep Harry ertussenuit en liet Esther achter onder de hoede van Walter.

Haar prins op het witte paard. Mijn held, zei ze altijd. Gay Burt vertelde het ons achteraf, ze was er zelf getuige van geweest: Esther zat aangeschoten in de Bottle and Cork, met een papieren servetje als een strik boven op haar hoofd. 'Mijn held,' zei ze; het vergeten servetje wiebelde nog steeds op haar hoofd terwijl ze een pretzel pakte.

'Ik ben uitgehongerd,' zei Suzie, want dat was ze altijd; we liepen al een tijdje rond in Esthers kamer maar er was nog geen cracker te bekennen. De windhond die door Esther gered was, Goneril heette ze, lag op haar lelijke smalle rug te slapen, met haar poten omhoog, net als een dode opossum. We hadden de reputatie dat we vriendelijk en loyaal waren enzovoort, enzovoort en we deden ons best om niet te kijken naar haar stakerige lendenen die gebrandmerkt waren met een vreemd symbool; en haar piepkleine felroze oogjes in die lange, magere kop.

We hadden trek, stierven van de honger. We hadden het beest met liefde geroosterd, en haar botten afgeknaagd.

De staande klok tikte; de gordijnen, waar vroeger de kameleons – drie exemplaren die de Gorgonen genoemd werden – van het blauwe ribfluweel naar het bruine velours sprongen, hingen er moedeloos bij. Ongetwijfeld hadden de bastaardhonden die arme Gorgonen vermorzeld en in één hap doorgeslikt, en het velours was in geen jaren gewassen.

'Vroeger was hij grijsblauw,' waagde Louise Cooper te zeggen.

We keken haar aan.

'De bank.'

'Ik herinner me dat hij roze was,' zei Judy Sawyer. 'Een roze gloed.'

'Ik verzeker je: hij was blauw.'

'Daar herinner ik me niets van,' zei Judy, want ze herinnerde zich nooit iets. Het leek alsof haar geest wegglipte – waarheen konden we niet altijd uitmaken – en ze sleepte de laatste tijd met één voet; nu zat ze een beetje buiten de groep, veel te mooi opgedoft, met een lang parelsnoer in lussen om haar hals, en schoenen met hoge hakken.

'Op een van die feesten heeft Lizzie de hele bank ondergekotst,' zei Louise Cooper. 'Haar jurk en schoenen waren helemaal geruïneerd.'

'Ze hadden de punch heel sterk gemaakt,' zei ze.

'Henry gaf haar ervan langs met de haarborstel. Met de borstelkant,' zei ze. Op hetzelfde moment weerklonk Esthers stem luid in ons midden. 'Wat een avond, Walter!'

We zaten doodstil.

Esther stond op de drempel van de halfdonkere eetkamer, die nu verlicht was door kaarsen. We zagen een groot portret van Walter boven de tafel, zijn handen waren ineengeslagen en ongetwijfeld vergeeld door de malaria. Blijkbaar had hij die opgelopen in Brazilië, als enig kind van een stel antropologen. Het had ons eigenlijk verbaasd dat Esther met hem getrouwd was. Wij waren geboren twijfelaars, sceptici wanneer het om de liefde ging. Maar over smaak viel immers niet te twisten? Nog geen jaar geleden was Suzie ervandoor gegaan met Emilio Saldariagga; ze had ons in de steek gelaten voor een poloveld en een taal die ze niet verstond. Weliswaar was Emilio naar onze stad gekomen om pony's in te rijden, en de meesten van ons dweepten met zijn lange laarzen en de manier waarop zijn ravenzwarte haar over de kraag van zijn jasje viel. Hij was half zo oud als zij, een goudzoeker, dat was duidelijk, maar Suzie had er geen spijt van, zei ze, toen ze vorige maand terugkeerde, met een vrouw die Carmen heette.

C'est la vie!

Esther ging ons voor, deed de deur dicht en schoof met een zwaai het losse eind van haar omslagdoek opzij om ons te wijzen dat we in een rij naast elkaar moesten gaan zitten.

'Walter wil jullie gezichten zien,' zei ze, dus we keken naar hem op en glimlachten.

Er stond een rij kaarsen precies onder het portret van Walter; door het schijnsel leek hij driedimensionaal te worden, groter zelfs: alsof hij de bedoeling van deze gebeurtenis begreep – een *gedenkdag*, een *viering* – en zo meteen een wens zou doen en blazen.

We hebben ons best gedaan om aardig te zijn. Hebben we niet meegedaan toen Bambi een kledingbeurs organiseerde? Wie van ons is niet van deur tot deur gegaan om te vragen om houdbare etenswaren? Jell-O, Cup-a-Soup? Maar we zijn zuinig van aard. Voorzichtig. Laat het voldoende zijn te zeggen dat we weten hoe koud de winters in deze streek kunnen zijn, hoe onvoorspelbaar de markt. Wie kan voorzien wanneer cranberry's in blik van pas zullen komen? Wanneer een sleetse wollen jas gebruikt kan worden om iets op te lappen?

Wij hebben in ons leven gebrek gekend.

De tafel was gedekt met onze dichte, nog afgedekte ovenschalen; Esther leek ze helemaal te zijn vergeten. Ze liep bedrijvig om ons heen, de gedroogde bloemen hingen aan hun steeltjes en bestrooiden haar schouders. Ze droeg een djellaba die er enigszins exotisch uitzag, met borduursels aan hals en taille – vermoedelijk een afdankertje van haar schoonmoeder, die zich samen met haar man had teruggetrokken op Nieuw-Guinea en daar gezellig tussen de kannibalen woonde. We hadden haar een keer ontmoet op een feest van Esther en Walter, een piepklein vrouwtje dat Sydney heette en in een hoekje zat te schrijven. Een schrijfster, veronderstelden we, tot ze ons uit de droom hielp. Antropoloog, zei ze, terwijl ze ons liet zien wat ze had opgeschreven. We zullen het nooit vergeten: de aanblik van onze namen in een notitieboek, in het handschrift van een vreemde. Zodat ik het beter kan onthouden, zei ze. Wat? had Mimi Klondike gevraagd. Dit allemaal, zei ze, en ze ging verder met schrijven. Ongemanierd, zeiden we altijd.

Wij? dachten we. Dit?

We keken rond om te zien wat ze bedoelde. De zitkamer van Esther was vol gasten, hoewel het huis er, zoals gewoonlijk, haveloos uitzag. Aan de muren hingen schilderijen van Esther, uit haar beginperiode: portretten; stillevens die eruitzagen alsof ze niet helemaal stilstonden; en een eindje verder de kleuruitbarstingen van de laatste tijd – Ik ben gek op oranje! zei ze altijd; kapotte glazen vazen; een appel met een vrouwengezicht, of iets wat aan een vrouwengezicht deed denken, in het klokhuis. Op haar kersenhouten bijzettafel, onder een groot blauw schilderij van de drie Gorgonen die in een onnatuurlijke houding om een vogelbadje stonden, lag Esthers verzameling porseleinen paaseieren. Anders lagen daar ook andere dingen – de bewerkte balein van een walvis, stukken jade, de vogelskeletten die Esther inspirerend vond, de goudemaillen sigarettendoos –, maar die dingen waren opgeruimd om plaats te maken voor een schaal met ham, een mand met meelbestoven broodjes, en mierikswortelsaus. Daarachter waren Lizzie Cooper en Katie Klondike aan het werk, gekleed in gehuurde smokings; ze schonken drankjes in aan een geïmproviseerde bar; hun gezichten zagen knalrood van de bodempjes drank die ze stiekem gepikt hadden; daarachter waren de openslaande deuren waardoor je Walters meesterwerk kon zien, enigszins verscholen achter de hoge, bloeiende guldenroede.

Wat allemaal? vroegen we, ons omdraaiend naar Sydney, maar ze was al verdwenen.

Van cocktailparty's kreeg ze de zenuwen, zei Esther later tegen ons bij wijze van uitleg. Ze danste liever de boogiewoogie met de inboorlingen.

Terwijl we aan die inboorlingen dachten, voelden we een lik. Goneril likte aan onze vingers, en toonde een hardnekkige belangstelling voor de kaas in Barbara's antipasto. Esther stond aan het hoofd van de tafel en stelde voor om te beginnen, en verdween toen opnieuw om drankjes te halen. Er waren vingerkommen bij ieder couvert.

'Is dat Japans?' vroeg Mimi Klondike.

'Chinees,' zeiden we.

Mimi haalde haar schouders op. Ze doopte haar kleine

vingertjes in de vingerkom. 'Chinees, Japans,' zei ze.

De kaarsen brandden en verspreidden een zoete geur, ze wierpen flakkerende schaduwen die afstaken tegen de gebarsten muren, en eruitzagen als zwarte spinnen in een web.

'Ik vraag me af waarom ze nooit kinderen hebben gekregen,' zei Judy. Zij was, ze zou de eerste zijn om het je te vertellen, zo leeg als een uitgedroogde kalebas. Ze had het jarenlang geprobeerd en toen had ze het bijltje erbij neergegooid en Melissa geadopteerd.

'Ik stond altijd bij de hordeur te wachten tot Megan thuiskwam,' zei Barbara. 'Zo erg miste ik haar. En als ze dan binnenkwam, ging ik naar buiten. Het deed er niet toe waarheen. De club. Alles was beter dan thuis.'

'De meeste vrouwen krijgen er nu één,' zei Viv.

'Wat?' vroeg Judy.

'Of ze krijgen er één niet. In Italië, geloof ik. Ongelofelijk, hè? Een land als Italië? Ik dacht dat ze er daar altijd een stuk of tien kregen.'

'Tien wat?' vroeg Judy.

'Wat mij betreft, ik vind dat ze gelijk hebben,' zei Louise Cooper.

'Ze hebben altijd gelijk. Kijk maar naar hun peper-en-zoutstelletjes,' zei Mimi Klondike. 'Wij waren in San Giorno en ik dacht dat ik in de hemel terecht was gekomen. Ik zei tegen Mike dat ik er stiekem een paar in mijn tas wilde moffelen, niemand zou het erg vinden, we waren immers toeristen, Amerikanen. Er werd van ons verwacht dat wij ons slecht gedroegen. En hij zei: "Over mijn lijk." Kun je je voorstellen? Het ging over peper-en-zoutvaatjes! Over mijn lijk, zei hij, en ik heb hem flink de waarheid gezegd. Ik vloekte hem echt stijf. Dat hij een zeikerd was en dat ik voortaan wel in mijn eentje zou reizen. Als ik het in mijn hoofd kreeg, zei ik, zou ik heel goed een piëta in mijn koffer kunnen moffelen en door de douane smokkelen. God weet dat de Britten dat gedaan hebben. Om maar te zwijgen van de Duitsers.'

'De Britten?' vroeg Judy. 'Waar hebben we het –'

'Dat was het begin van het einde,' zei Mimi. 'Ik geloof dat we geen woord meer tegen elkaar hebben gezegd tot Napels, toen hij het lef had om een foeilelijke asbak onder mijn neus te houden en te vragen: Wat vind je van deze, schat?'

'Ik geloof niet dat Esther ze wilde,' zei Barbara.

'Wat?' vroeg Viv.

'Kinderen.'

'Kinderen? O jezus, kinderen,' zei Viv.

Esther verscheen in de deuropening met nieuwe drankjes op een dienblad. Ze zette het dienblad voor ons neer en gaf iedereen een glas. De waterkringen vingen het kaarslicht op en brandden; ze vergrootten de Engelse jachttaferelen op de onderzetters: paarden die eruitzagen als Gonerils sprongen over de groene heuvels.

Suzie had het spoor te pakken. Wat was het begin van het einde geweest? De smokinghemden. 'Eerst de sokken,' zei ze. 'Dan de manchetknopen, dan de das, dan de flappen van zijn smokinghemd in het elastiek van zijn boxershort gestopt. Dan pas de broek. Ik vroeg hem een keer of hij alsjeblieft eerst zijn broek wilde aantrekken. Ik zei dat ik het niet prettig vond om een volwassen man te zien rondlopen in een blauwe boxershort, een smokinghemd en een das.

Hij keek me aan alsof ik ineens twee hoofden had in plaats van één.'

We knikten, al kauwend. We waren het er al over eens geworden dat je onmogelijk kon proeven dat Louise Coopers kaassoufflé van Stouffer's kwam, overgeheveld naar haar eigen aardewerken schaal.

'Ik doe het altijd,' zei Louise, met volle mond. 'Niemand heeft het ooit gemerkt.'

'Charlie schraapte altijd zijn keel,' zei Barbara. 'Snot achter in zijn keel. Neusamandelen. Zoiets. We gingen een keer eten bij de Burts, en ik vroeg hem zo vriendelijk mogelijk of hij, voor deze ene avond, dat geluid niet wilde maken.'

De dessertbordjes werden rondgedeeld, de schotels waren koud geworden. De kaarsen waren bijna opgebrand.

'Ja?' vroeg Judy.

'Dat was het onze,' zei Barbara, kauwend. 'Het begin van het einde.'

Esther, die niets at, maar kleine teugjes van haar drankje nam, wendde zich tot Walter. 'Heb je dat gehoord, lieverd?' vroeg ze, alsof een schilderij kon afdwalen, diep in gedachten verzonken kon zijn, waardoor hij even de draad van het gesprek was kwijtgeraakt. Maar het zag ernaar uit alsof Walter niets ontging. Wij hadden nooit getwijfeld aan zijn toewijding jegens haar – hij droeg die als een grote houten kist, die hij aan haar voeten zette, waar ze ook bleef staan. Nu keek hij op ons neer met zijn donkere oogjes; hij trachtte zijn lelijke mond met de overbeet getuit te houden, met een afkeurende uitdrukking op zijn gezicht. Aan weerskanten van Walter hingen lappen zwarte zijde, als bescherming tegen de zon, om dichtgetrokken te worden op bijzonder heldere dagen, hoewel de eetkamer ramen op het noorden had die overgroeid waren met klimop. We hoefden niet te kijken om dat te weten. Onder Walter liep een stoet stenen olifanten over de schoorsteenmantel naar een Afrikaanse trommel met een takje hulst op het trommelvel; in een rij glazen potten lagen schelpen, die piepklein waren of verbrijzeld, in iets wat eruitzag als gekleurd water – de hele schoorsteenmantel was een altaar voor een buitenaardse geest. Het altaar en Walter bevonden zich in een kamer die verder vertrouwd aandeed. De Queen Anne-eetkamerstoelen, de kersenhouten tafel, het Perzische tapijt met de gerafelde franjerand, de tinnen kandelaar. Zelfs de koekoeksklok die de lijst van Walter flankeerde hing bij velen van ons in de hal; als hij een magere hand van zijn schoot zou opheffen en uitsteken zou hij de slinger kunnen stilzetten, maar hij verroerde zich niet.

We staarden naar Walter en wachtten op de dingen die komen gingen, zijn vrouw zat hier aan het hoofd van de tafel, gehuld in gebleekt katoen; hoeveel jaar na zijn dood? Zes? Zeven? Of was er meer tijd verstreken sinds we haar naar het graf hadden begeleid en onder die vreemdsoortige tent hadden gewacht tot de dominee zijn boek dichtklapte? Toen was ze ingestort; ze had erin willen klimmen. Hoeveel mensen konden zich nog herinneren dat ze haar in bedwang hadden gehouden?

We hadden haar meegenomen naar de club voor een slaatje met kip, dat ze opat, zagen we. Het zou vast goed met haar gaan.

Maar het ging nu niet goed met haar – of wel? 'Luister,' zei Esther, terwijl ze tegen haar bokaal tikte. 'Ik heb jullie uitgenodigd met een bepaalde reden.' Nu keek ze ons rond de tafel een voor een aan. Wij keken terug naar haar en de avond achter haar, de oude Route 32, de schaduwen van de bomen. De maan scheen eigenaardig vol en geel. 'Jullie waren mijn vriendinnen, nietwaar?' vroeg Esther. 'Ik dacht altijd dat jullie dat waren, hoewel Walter zei dat ik te goed van vertrouwen was.' Ze haalde haar schouders op. 'Neem mee wat je maar wilt. Er is niet veel, mijn krabbels en wat snuisterijen; het geld ligt in de bovenste la van de commode op onze slaapkamer. Walter had de pest aan banken.'

'O, en zeg wat je goeddunkt, als er vragen zijn.'

Ze zweeg even en wij knepen onze ogen half dicht, terwijl we wachtten tot ze verderging. Vragen? Wat voor vragen bedoelde ze? Er waren geen vragen meer. Ze ging langzaam staan, hief haar bokaal en richtte haar aandacht op Walter. Zoals haar haar eruitzag! Was dit werkelijk Esther? De vrouw die een tiara droeg op het politiebal? Het rijke meisje dat in een witte sportwagen reed, met een rode handtas in de kleur van de bekleding?

'Ik heb altijd van je gehouden,' zei ze.

'Ik heb nooit niet van je gehouden,' zei ze.

'Ik zal altijd van je houden,' zei ze.

'Proost!' zei Barbara.

'Proost!' zei Mimi.

'Wat?' vroeg Judy.

'We proosten op Walter van Esther,' antwoordde Canoe, en misschien stonden er tranen in haar ogen.

'Proost!' zei Judy.

'Proost!' zei Louise.

'*Salut!*' zei Viv, echt iets voor haar.

'Proost,' zei Esther, en ze hief de bokaal met het drankje. Even zag ze eruit alsof ze een buitengewoon zware wedstrijd had gewonnen en van plan was om zichzelf te begieten met champagne, of gin, of welk vergif het ook was dat ze aan haar lippen hield: een vorm van arsenicum, zoals we later te weten kwamen, een poeder om ongedierte te verdelgen, dat gemakkelijk te krijgen was bij de ijzerwinkel. Het was echt iets voor haar om deze manier te kiezen in plaats van te wachten op de onvermijdelijke andere manier, hoewel we het op dat moment nog niet in de gaten hadden. Wij leven zelf zonder er met onze gedachten helemaal bij te zijn. Etherisch? Nee. Alleen op een afstand van lijfelijke bijzonderheden. Dat neemt niet weg dat wij in de flakkerende schaduwen hadden moeten zien hoe ze bloosde en hoe vastberaden ze keek boven de rand van haar zilveren bokaal. Ze vestigde haar blik op Walter terwijl ze gulzig dronk, alsof ze geen tijd had om de bokaal tot de bodem te ledigen. 'Vannacht, vannacht,' hoorden we Canoe zeggen, misschien bij wijze van grap, misschien ook niet. We keken alleen naar Esther, gebiologeerd, onze vingers uitgestoken naar Gonerils dunne roze tong. Hoe lang geleden was het dat een van ons ontroerd was? Wie onder ons kon zeggen dat ze liefde voelde?

Toen begrepen we het plotseling: liefde. Maar wat moesten we doen? Oog in oog met de liefde waren we niets. Niet meer dan toeschouwers, de kring die achterbleef.

BAMBI VLUCHT NAAR DE VRIJHEID

Het was onzinnig, echt. Hij was waarschijnlijk al dood, en als hij niet dood was, was hij oud, wat nog erger was. Toch bleef Bambi aan de lijn, typisch iets voor haar om dat te ontkennen; het was al na middernacht. Na een tijdje ging ze rechtop zitten. 'Ivoryton, Connecticut,' zei ze. 'Jackson,' zei ze. 'Remington Jackson.' Ze luisterde en schreef toen een nummer op een kladblok naast de telefoon, de dop van haar pen floot in haar mond. Ze spoog hem uit en hij tikte tegen het glazen tafelblad. '*Merci*,' zei ze, en ze hing op.

Wij zaten te wachten, oprecht bezorgd. Bambi had zich gestort in een nieuwe Vlucht naar de Vrijheid, en hoewel de vorige Vluchten nooit veel om het lijf hadden gehad – paarsachtig haar, een uitnodiging, afgeslagen, aan de chauffeur van de UPS om een cocktail te komen drinken – leek dit plan gevaarlijker.

'Hij woont er,' zei ze.

'Waar?' wilde Judy weten.

'In jezusnaam, Judy, we hebben het over Renny –'

'Ik weet het.'

'Jackson.'

'Ik weet het.'

Judy en Barbara zwegen en keerden zich naar Bambi, die rode hartjes tekende om het nummer heen.

'Ik aanbad hem op het eerste gezicht,' zei Bambi. 'Een roze katoenen overhemd met een versleten kraag, en het prachtigste krullende haar. Niet krullend krullend – golvend. Bij zijn kraag. Een beetje lang. Dat was in 1945.'

'Je was pas achttien,' zei Barbara, alsof dat iets te betekenen had.

'Hij kwam nota bene uit Maine.'

Wij knikten, of degenen onder ons die nog wakker waren knikten. Canoe lag languit op de rieten bank, haar eeltige voeten op een van Bambi's geborduurde kussens. Vóór haar Vluchten naar de Vrijheid borduurde Bambi: kussens, onderzetters, voetenbankjes, hoezen voor tennisrackets. Kon zij er wat aan doen? Er was niemand onder ons die geen staaltje bezat van Bambi's huisvlijt, in een hoek van de bank of als deurstopper voor de wc.

'En groene ogen.'

'Charlie had groene ogen,' zei Barbara, 'wat mij ervan overtuigde dat die van Megan blauw zouden blijven. Ze waren van dat prachtige parelmoeren blauw toen ze werd geboren, en ik was niet de enige. Iedereen zei dat ze blauw zouden blijven, zelfs de dokter, en toen, God mag weten waarom, werden ze bruin. In één nacht. Blauw – bruin.'

'Ik bel nú,' zei Bambi.

'Hoe laat is het?' vroeg Judy.

'Daar ga ik,' zei Bambi. Ze stak de dop snel terug op haar vinger en draaide het nummer, het heldere licht van de met schelpen bezette bureaulamp weerkaatste als een dode exploderende ster in het raam van de serre. Echt, als wij naar buiten hadden gekeken, hadden we niets anders gezien dan dubbelgangers van onszelf, die plotseling oud afstaken tegen de dichte, zwarte nacht.

De Vluchten naar de Vrijheid begonnen in januari, in de eerste weken van het nieuwe jaar, de nieuwe eeuw. Er moesten drastische maatregelen worden genomen, zei Bambi, er moest iets gedaan worden in het leven: Esther was dood, de club was tijdelijk gesloten voor een verbouwing. De eerste keer nam ze de Greyhound-bus naar Manhattan, met een broodje in een papieren zak en een rugzak vol met klossen garen. Ze ging van boord bij de havenmeester, legde ze uit; een chauffeur die duidelijk getraind was in gehandicapten liet de pneumatische koppeling van de bus los om haar door de openzwaaiende deur naar buiten te laten. Dat waren haar woorden. Ze rolde voorwaarts, zei ze, door slecht weer, drukke straten en de uitlaatgassen van Eighth Avenue. Ze had in Manhattan gewoond en kon de weg naar de openbare bibliotheek in New York zonder enige moeite vinden. Ze was van plan om haar broodje op te eten in het schijnsel van een van de groene glazen lampen, en een vroege uitgave te lezen van Montaigne, de grote essayist! De meester! In het Frans, oorspronkelijk. Analyseren. Wisten we dat? Een poging doen, beproeven, trachten.

Volhard, had haar vader gezegd, het woord analyserend in zijn avondgebed aan de rand van haar bed, of zo dicht mogelijk bij de ijzeren long als ze hem lieten komen. Polio. Haar ledematen, of althans drie daarvan, waren versteend. Hoewel het een zachte steensoort is, zei ze. Krijt.

'Begrijpen jullie?' smeekte ze; wie had ze anders behalve ons? 'Mijn behoefte om zo nu en dan uit de band te springen.'

De meesten van ons hadden een opleiding gevolgd tot secretaresse of hulponderwijzeres – dat was het hoogste wat we konden bereiken: meisjes die als plaatsvervanger optraden, die gedicteerd werden door oorlogshelden in grijze pakken. We gingen naar instituten die gespecialiseerd waren in dit soort onderwijs, en leerden uit schriften met een spiraalband wat onze leraressen de vier G's noemden: Goed Gedrag, Grammatica en Gratie. Enkelen van ons verlieten de opleiding vóór Gratie, en vertrokken na het eerste of tweede afspraakje, verloofd; maar de anderen, de zakelijke types, waren behoorlijk doelgericht. We verbeeldden ons dat we zouden opklimmen tot Dow Chemical, ons bureau stond op een strategisch punt voor het kantoor van een man die zo belangrijk was dat we op wacht zouden staan bij zijn troon. Deze man nam nooit een vastomlijnde vorm aan; hij was een kruising tussen William Powell en Robert Mitchum. Wij waren Barbara Stanwyck; we kregen dingen voor elkaar. Aan het eind van de middag glipten we in onze schoenen met hoge hakken en deden het kantoor op slot, onze sleutels wogen zwaar als dubloenen in de zakken van onze Burberry-regenjassen.

Maar Bambi. Bambi! Over haar wisten we het volgende: in die jaren voor de eerste symptomen – je neuriede een liedje, ze ging aan een willekeurige piano zitten en speelde. Haar gaven! Het conservatorium, dat beroemde, nam haar in één oogopslag aan. We zagen haar voor het eerst op het vrijgezellenbal, met Renny aan haar arm. Wij waren nieuwkomers, pas getrouwd; zij was een beroemdheid in de stad, een plaatselijke legende, ouder dan wij, een vakvrouw. Er was een optreden van de Two-Tones, dat was voor hun tragische ongeluk, en op een bepaald moment werd er vuurwerk afgestoken boven de golfbaan. Als ze aan hem terugdenkt, zegt ze, als ze terugdenkt aan het moment dat ze dansten – hoe hij haar leidde, zijn koele hand tegen haar rug, zijn droge vingers, alsof ze gepoederd waren, vederlicht (hij liet haar in de rondte draaien met zijn vingertoppen!) –, dan is dat in het spectaculaire licht van de laatste vuurpijlen.

'Hij gaat over,' zei ze, haar goede hand om de hoorn geklemd, haar slechte arm, verlamd van haar elleboog tot haar pols, leunend op het kussen dat ze vlak na de diagnose had geborduurd: Rosie the Riveter uit de oorlog, die haar beroemde gespierde arm buigt: 'We kunnen het!'

'Wat?' wilde Judy weten.

'Ze belt Renny Jackson,' zei Louise Cooper.

'Ik dacht dat hij dood was,' zei Judy. 'Is hij niet dood?'

'Hij woont in Ivoryton, Connecticut.'

'Wie heeft me dan verteld dat hij dood was?'

'Goedenavond,' zei Bambi met een vaste stem, die lager was dan vroeger door de steroïden die ze tegenwoordig nam tegen de pijn. 'Ik ben op zoek naar Remington Jackson.'

'Wat?' vroeg Judy.

'Stil toch!' zei Barbara. We zaten rechtop in onze stoelen; Viv bleef staan bij de huisbar.

'Ja, graag,' zei Bambi, haar stem klonk ernstig. 'Het is een soort noodgeval.'

Het was geregeld. Zaterdag om vier uur. Hij had een baan als vertegenwoordiger, en hoewel hij allang met pensioen had moeten gaan, lieten ze hem nog een aantal klanten bezoeken die bijzonder op hem gesteld waren. Toevallig woonde een van die klanten in ons buurtje; op die manier sloeg hij twee vliegen in één klap.

'Zei hij dat?' wilde Suzie weten. 'Twee vliegen in één klap? In ons buurtje?'

'Iets dergelijks,' zei Bambi. 'Ik was zo zenuwachtig dat ik nauwelijks kon verstaan wat hij zei.'

'Klonk hij oud?' vroeg Canoe.

'Het is nog altijd Renny Jackson,' zei Barbara. 'Remington Jackson.'

'Hij komt zaterdag,' zei Bambi. 'Zaterdag om vier uur.'

'Ik hoop dat hij nog haar op zijn hoofd heeft,' zei Canoe. 'Ik vind het vreselijk als ze oud en kaal zijn.'

De dag brak aan, zoals gebruikelijk in ons buurtje: stijf en koud, grijs. We zaten in het sombere schijnsel van Bambi's serre, met borden koud geworden roereieren op schoot. We zouden brunchen! hadden we besloten. We zouden bedenken wat ze moest zeggen.

Bambi zat op haar stalen troon, een geruite plaid over haar knokige knieën. Ze stak een sigaret op en liet de rook langzaam uit haar mondhoek ontsnappen. 'Eigenlijk hebben jullie hem niet goed gekend,' zei ze, en wij zeiden geen woord, want a: Ze had gelijk, we hadden hem niet goed gekend. Hoe hadden we hem moeten kennen? We hadden alleen maar gedanst, en b: Bambi nam tegenwoordig zelden het initiatief tot een gesprek. *Depressief*, zei Barbara. Klinisch. Barbara kende de symptomen, ze had ze geobserveerd in Megan. Douchte niet, zei Barbara. Zwijgzaam, zei Barbara. En ook nog iets over haar haar.

'We hadden plannen om te trouwen,' ging Bambi verder. 'Of liever, ik zou niet zeggen plannen, dat is het niet precies. Plannen is te specifiek, alsof we al hadden gekozen voor, zeg, 2 mei. We hadden alleen ideeën. We hadden erover gepraat. Bepaalde beloften gedaan. En toen raakten we natuurlijk verlamd.' Op dit punt glimlachte ze en tilde haar slechte arm op met haar goede; wij waren eraan gewend geraakt: de sigaret tussen de stijve vingers geklemd, de slechte arm was een stuk gereedschap. Of zo beschreef ze het. Ik heb ledematen van staal, zei ze altijd. Ik ben een keukenla, zei ze altijd.

'Eerst raakte ik verlamd, toen hij,' zei ze. 'Vlak na elkaar.'

Canoe schraapte haar keel. 'Degene die ik wou, ik bedoel degene die ik had willen hebben, was Alan Chapman,' zei ze. Ze had haar schoenen uit, hoewel het vijftien graden was; ze krabde aan een droge teen. 'Buddy was hem net voor.'

'Alan Chapman is een waanzinnige alcoholist,' zei Viv.

'Waarom heb je geen nee gezegd?' vroeg Louise Cooper.

'Hè?' zei Canoe.

'Waarom heb je Buddy niet afgewezen?' vroeg Louise Cooper.

'Ben je belazerd? En een ouwe vrijster worden?' Canoe keek de kamer rond, maar wij besteedden weinig aandacht aan haar. We wachtten op Bambi. We hadden dit nooit geweten over Renny, we hadden gedacht, er was ons *verteld*, nota bene, dat Bambi de beslissing helemaal zelf had genomen, en Renny een brief had geschreven, kort nadat de koorts was uitgebroken, met haar slechte hand ondersteund door haar goede hand, of zo zagen wij het voor ons, ze hield de pen schuin op een onbeholpen, kapotgemaakte manier, de regels golfden alsof Bambi niet alleen was geveld door een ziekte, maar ook door de ouderdom. Er stond niet veel in de brief, hadden we begrepen. Alleen dat ze van gedachten was veranderd; ze had besloten dat ze het zich niet langer kon veroorloven om zoveel tijd te verliezen aan een romance, aan gewone genoegens – vriendschap, familie et cetera –, haar gaven, schreef ze, waren het belangrijkst. Ze moest aan haar muziek denken.

Ik zou het afscheid liever niet eindeloos rekken, schreef ze; dat vonden we buitengewoon wreed.

Bambi staarde ons aan door een golf van rook.

'Dachten jullie echt dat ik hem zou opgeven?'

De Two-Tones waren vroeg vertrokken op die avond van het vrijgezellenbal, want er was uit het niets een onweer komen opzetten. We stonden onder het afdak van de club uit te kijken over de golfbaan, de bliksem maakte barsten in de lucht alsof de lucht een zwart, breekbaar ding was: een zwart ei, zwart glas, of zwart porselein. Iets wat vermorzeld kon worden, opengebroken; iets wat volkomen vernietigd kon worden.

'Zou dit het einde van de wereld zijn?' vroeg Barbara, of misschien was het Viv. We hadden allemaal te veel gedronken; er zat veel te veel drank in de punch, of een van ons had een heupflacon bij zich. We zochten beschutting bij elkaar alsof we warmte nodig hadden, hoewel er een warme wind stond, we hadden blote schouders, en alleen een stola van dunne chiffonzijde om ons jurkje heen geslagen. Toen waren we nog mooi: pas getrouwd, nog geen moeder. We rookten sigaretten en keken hoe de lucht knalde en siste, terwijl er wolken langs de maan dreven. Laat het voldoende zijn te zeggen dat we op iets wachtten, we wisten niet wat. We hadden geen zin om naar huis te gaan. We hadden geen zin om terug te keren naar onze mannen, we bleven liever naar buiten staren over het golvende nachtlandschap, dat leeg was op de donkere bomen in de rough na. We moeten hebben gevoeld dat die twee daar buiten waren:

hoe zijn adem langs haar hals streek, hoe de hitte hen terneerdrukte met een zoet, tastbaar gewicht, hoe ze bokten en renden door het donker dat af en toe door de bliksem verbannen werd.

Nu staarden we Bambi aan. Zou ze Remington hebben opgegeven? Wij waren daarvan overtuigd geweest: zij was iets ouder, een musicienne. Als ze ons had verteld dat ze op haar eerste Vlucht naar de Vrijheid haar rolstoel uit het raam van de bus had gegooid en naar de openbare bibliotheek in New York was gekropen, zouden wij dat duidelijk voor ons hebben gezien: *Christina's World* in Manhattan, de lokkende reclamezuilen boven de bomen van Bryant Park, en de voorbijgangers die uitweken om haar door te laten.

Misschien was ze nooit naar de bibliotheek gegaan; misschien was ze alleen maar naar het vliegveldje aan de rand van onze stad gereden om te kijken hoe de vliegtuigen opstegen en landden. Dat deed ze weleens, wisten we. Mimi Klondike had haar een keer gezien in de Captain's Roost, haar rolstoel stond zo dicht bij het raam dat het glas beslagen was, zei Mimi.

Bambi had een wezenloze blik, zei Mimi. Dronken of gelukkig. '"Als ik een wens mag doen voor ik sterf, wil ik alleen vliegen en vliegen",' had ze tegen Mimi gezegd.

'Is dat iets wat ik had moeten herkennen?' wilde Mimi weten, en natuurlijk was het Viv die zei: 'Ja, de Schotse dichter, Burns.' Toen: 'Dat is die man van Auld Lang Syne,' maar we schonken er weinig aandacht aan. We zagen Bambi voor ons in haar stalen rolstoel bij het raam, van buitenaf, we zagen het beeld dat de passagiers zouden hebben gezien terwijl ze voorzichtig naar beneden liepen over het trapje vanuit de open vliegtuigdeur. Het was winderig, want het woei daar altijd; en donker, de route was aangegeven met kleine blauwe lichtjes. Ze hadden natuurlijk haast. Iedereen heeft toch haast? Maar als ze omhoog hadden gekeken voor ze zich naar de uitgang van het vliegveld repten, hadden ze de vrouw gezien die daar boven tegen het raam zat gedrukt, misschien was het een vrouw. En als ze de moeite hadden genomen om stil te staan, zouden ze zeker hebben gezien hoe zij haar goede hand in een amfibieachtige woede tegen het glas gedrukt hield, de vingers uitgespreid, grijpend.

'"De droevigsten, zou het geweest kunnen zijn",' zei Viv.

'Wat?' vroeg Judy; we waren haar vergeten in haar hoekje.

'Nog een. Burns. "Van alle woorden van muizen en –"'

'O, in godsnaam, Viv, hou je mond,' zegt Canoe.

'"Mijn lief is als een rode roos,/ In juni pas ontloken./ Mijn lief is als een melodie/ Die zuiver heeft gesproken./ Zo mooi als jij, mijn dinges dinges;/ Dan houd ik nog van jou." En dan dinges dinges dinges dinges dinges dinges dinges –'

Bambi heeft de sigaret laten uitgaan in haar slechte hand. 'Hij ging ervandoor,' zegt ze. 'Direct toen hij de diagnose hoorde. Nou, misschien heeft hij een ochtend gewacht, of een hele dag. In mijn herinnering was het direct.'

Met behulp van haar goede arm laat ze haar slechte arm zakken, en drukt de sigaret uit in een oesterschelp.

'We waren kinderen,' zegt ze.

'Droog!' zegt Viv. 'Dinges, dinges, droog!'

Bambi was ooit verreweg de mooiste van ons allemaal, met reusachtige reebruine ogen en glanzend kastanjebruin haar. Ze droeg het naar achteren, met een elastiekje en een lint erom. En ze was lang, dat waren we vergeten.

Gedeeltelijk is het woede, zei Barbara tegen ons. Razernij. Het gevoel van *hulpeloosheid*. Dit zijn de tekenen, zei ze, de symptomen.

We dachten aan Megan, Barbara's dochter, in haar laatste jaar aan de universiteit: tweehonderd pond en somber. Zij leek wel een wandelende reclamezuil, een sandwichvrouw vol symptomen. We wisten dat Megan kwaad was. Megan was hulpeloos.

Maar Bambi? In wollen dekens gehuld, diepvriesmaaltijden, een badjas. Ze droeg haar haar kortgeschoren, als een overlevende; gemakkelijker in het onderhoud, zei ze, je hebt geen haarborstel nodig. Ze had een ongetrouwde muzieklerares kunnen worden, hoewel ze niet langer speelde. Een tijdlang had ze het geprobeerd, ze had een soort eenhandige stijl aangeleerd en trad op in kleine concertzalen voor een welwillend publiek. Haar act was iets nieuws, net zo schaamteloos als die van Buffalo Bill, beweerde ze, hoewel wij het indrukwekkend vonden. Ze rolden haar het toneel op in een zwarte jurk, het licht was gedempt, haar slechte hand lag op een geborduurd kussen dat een piano moest voorstellen; een grap die niemand kon waarderen behalve zijzelf, ze hief haar goede arm op om aan te geven dat ze stilte nodig had om te beginnen. En vanuit die stilte speelde ze, ze gaf vorm aan de muziek alsof ze een beeldhouwer was die alleen een lepel had als gereedschap. Ze lepelde noot voor noot.

Nu tikte ze met haar goede hand, haar *nette* vingers, zei ze altijd, tegen de stalen poot van haar rolstoel, vol ongeduld wachtend op Remington Jackson. Was hij onderweg? Zou hij gauw komen? Niemand wist het, hoewel we hem duidelijk voor ons zagen, gemanicuurd, besprenkeld, een vertegenwoordiger die op het punt stond om zijn volgende klant te ontmoeten, fluitend, een kruising tussen William Powell en Robert Mitchum.

We schraapten de schalen schoon, zetten de borden in de afwasmachine. We gaven Bambi's zieltogende planten water en een van ons was ergens aan het stofzuigen. Als er een stralende zon was geweest zou die door haar pasgelapte ramen hebben geschenen, maar het grijs was in de loop van de middag alleen maar donkerder geworden, waardoor je de strepen die onze zeemlappen hadden achtergelaten extra goed zag.

Een vertegenwoordiger! En dan te bedenken dat hij nu oud was. Waar was de tijd gebleven? Was het geen zomeravond, begin juli?

Je hoorde de krekels luid tsjirpen, herinnerden we ons. Er was regen op komst, een verbijsterend hevig onweer. De Two-Tones droegen de smokings die hun handelsmerk waren, met rode cummerbunds, die van de saxofonist was blauw, dat had een bepaalde reden, maar we hebben nooit geweten welke. Ze stonden vier man sterk op de met flagstones geplaveide binnenplaats van de club, ze rustten even uit en rookten een sigaret. Dat was voor het ongeluk: het hele kwartet werd in één seconde weggevaagd, want er stond een geschaarde oplegger midden op de weg. Toch leefden ze hier nog! Er zijn dingen die we nooit zullen vergeten: het vrijgezellenbal, onze mooie jurkjes, en de bergkristallen waar we om gebedeld hadden.

Barbara verzamelt de borden en de koffiekopjes, Bambi rolt van de ene kamer naar de andere. Judy stelt voor om te bridgen, hoewel niemand van ons daar zin in heeft. We spelen harten tot het gepiep van Bambi's wielen onze concentratie verstoort.

'Luister!' Dit is Bambi, haar stem klinkt schor, alsof ze net opnieuw kapotgemaakt is. Ze ziet eruit alsof ze koorts heeft, ze heeft de deken om haar schouders geslagen, haar spichtige benen vol littekens zijn onbedekt. 'Ik moet hier weg!'

'Wat?'

'Alsjeblieft.'

'Het is kwart voor vier –' zegt Canoe.

Bambi's ogen schieten vuur; ze ziet eruit als drieëntwintig, een schoonheid, een maintenee. Ze zou op dit moment uit haar stalen stoel kunnen verrijzen en met grote passen door de kamer kunnen benen naar de hoek waar de piano, afgedekt met een poncho, al die jaren ongebruikt heeft gestaan. Welk liedje zou ze kiezen? 'Slow Boat to China?'

'Hij heeft een briefje op mijn deur geplakt,' zegt ze. 'Hij wist maar al te goed dat ik in het ziekenhuis lag. Iedereen heeft het gelezen, behalve ik. *Sayonara*, vaarwel, stond erop. Hoogachtend.'

'Sla hem keihard op zijn bek,' zegt Canoe.

'Hij zei dat hij aan zijn carrière moest denken. De gênante situatie die hierdoor zou ontstaan.'

Louise Cooper grijpt de handvatten van Bambi's stalen stoel en draait haar zo snel om dat de deken die om Bambi's schouders geslagen is op de grond valt en klem komt te zitten onder de wielen. Louise probeert de deken los te rukken.

'Waar gaan we naartoe?' vraagt Suzie.

'De Captain's Roost,' zegt Louise.

'Dat is op het vliegveld, bij Route 32,' zegt Mimi Klondike.

'Dat weten we,' zegt Barbara.

'Ik pak onze jassen wel,' zegt Canoe.

'Schiet op!' roept Bambi, want Louise staat nog steeds te rukken. 'Schiet op! Schiet op!'

Wat hebben we nodig? Onze tassen. Onze brillen. Onze sleutels. Moeten wij ook een briefje schrijven? Op de voordeur plakken? *Ciao, ciao*, zouden we zeggen. Jammer voor jou, jochie. Maar we hebben geen tijd, over een minuut zijn we erbij, kunnen we de koplampen zien. Weliswaar laten we tekenen van leven achter. Het huis ruikt naar eieren en sigaretten; de gordijnen zijn dichtgetrokken. Meer kunnen we echter niet doen. We haasten ons om koffiebekers bij elkaar te pakken, asbakken te legen. De vliegtuigen staan op het punt om te vertrekken, weten we, hun bestemmingen worden omgeroepen door de luidspreker.

'Weet je het zeker?' vraagt Barbara.

'Schiet op!' roept Bambi, en plotseling beseffen we dat ze niet kan lopen, net zomin als vliegen.

Louise rukt de deken los en doet een stap achteruit terwijl Barbara de handvatten van de rolstoel grijpt en met Bambi naar de deur van de rolstoelhelling sjeest, de rolstoel omdraait en met haar schouder de deur openduwt, zoals je dat in de Safeway zou doen met een heel onhandige stapel boodschappen in je armen.

'Hij heeft mijn hart gebroken,' zegt Bambi, terwijl Barbara de rolstoel rechtuit zet en hem de lange, onhandige rolstoelhelling af manoeuvreert, die door Bambi altijd een rode loper voor inbrekers wordt genoemd.

'Hij heeft het helemaal in tweeën gescheurd,' zegt ze.

De vliegtuigen doemen op in de schemering: eerst zie je sterren. We zijn hier al uren, het ijs in onze cocktails is gesmolten, we hebben onze voeten op de slordig beklede barkrukken gelegd. We zijn hier de enige klanten; de barkeeper heeft zich voor ons verstopt in de keuken, denken we, en de serveerster is allang weg.

'Op welk moment is jouw captain het huis ontvlucht?' heeft Barbara gevraagd, en we moesten allemaal lachen, hoewel de serveerster alleen haar handen afdroogde.

De lichten worden sterker en dan dalen de vliegtuigen, kleine vliegtuigen, met twaalf passagiers, of twintig op z'n hoogst. Ze cirkelen rond het vliegveld en maken lussen om de wolken die op dit moment een parelmoeren glans hebben gekregen; het lijkt hier wel de hemel. We eten handenvol noten. We zijn uitgehongerd. Eerder hadden ze het erover dat het zou gaan sneeuwen; de serveerster zei dat er een harde noordoostenwind was voorspeld. Die zouden we uitzitten, zeiden we tegen haar. We zouden hier kamperen als het nodig was, de nacht doorbrengen. Ze keek ons aan, met in boogjes getekende, geëpileerde wenkbrauwen. Ze was het type vrouw dat wij nooit zouden worden: in een uniform, dik, haar man was met pensioen. En wat vond ze van ons? Zou ze geraden hebben dat wij geschoold waren in de vier G's? Dat op dit moment één van ons, met gezwollen blote voeten op de kriebelige wol, Burns uit het hoofd kon voordragen? En een ander, die kaalgeschoren grijze invalide in de hoek, vroeger elke melodie op het gehoor kon spelen? Fluit maar iets, hadden we tegen de serveerster kunnen zeggen, en ze speelt als een engel! Een absolute engel, zouden we zeggen, want dat doen we altijd. Om nadruk te leggen.

'Wij zijn op een Vlucht naar de Vrijheid,' zeiden we tegen haar, 'op de loop voor een man.'

'Goed zo, dames,' antwoordde ze.

'We gaan misschien wel nooit naar huis,' zeiden we tegen haar. Ze maakte de rekening op, scheurde die van het schrijfblok en schoof hem onder onze overvolle asbak.

'Betaalt u maar wanneer u wilt,' zei ze.

'We gaan nooit meer weg,' zeiden we. 'Je zult ons van de vloer moeten opvegen.'

'Goed zo, dames,' zei ze.

'"Zo mooi als jij bent, meisjelief,/ zoveel houd ik van jou,/ Ik zal nog van je houden als,/ De dinges dinges droog,"' zegt Viv. '"En nu vaarwel, mijn enig lief,/ Vaarwel nu voor een tijd,/ Tot dinges dinges dinges, lief,/ De krokodil bevrijdt."'

Ze richt zich tot een kaars in een roodglazen potje.

We luisteren naar haar en dan weer niet; dan zijn we weer afgeleid door het uitzicht op de helder verlichte verte, uit het grote raam van de Captain's Roost. Daar scharrelen de vliegtuigen over de korte startbaan en maken zich op voor de vlucht, hun propellors gaan steeds sneller tot ze zoemen.

FUCK MARTHA

Het was oorspronkelijk niet de bedoeling om de dag te eindigen in een karaokecafé, maar we waren dan ook op drift geraakt. We zwierven rond zonder enig idee, zoals onze dochters het noemen. Bovendien was het hier warm. Dit café, Mustang Sally's, hadden Suzie en Carmen opgeduikeld bij de Industrieweg, een miezerige pijpenla, ingeklemd tussen een Empire Noodle-restaurant en een Sheer Delight-lingeriewinkel.

Eerder op de dag hadden we de as van Barbara's dochter Megan uitgestrooid over het stuwmeer bij Memory Lane. Memory Lane was vroeger een onverharde weg met diepe geulen, maar nu was hij geplaveid met van dat asfalt dat glinstert in het donker. We waren natuurlijk in overtreding; overal stonden borden met de tijden waarop je overdag volgens de wet op deze weg mocht lopen. Aangezien we het risico liepen om gearresteerd te worden, moesten we onopvallend sluipen; dat hoeven we anders nooit te doen. De as was een paar weken eerder afgeleverd door UPS; opgestuurd naar Barbara met een briefje van haar ex, Charlie, waarop stond: Onze Megan. Een tijdlang stond de urn bij haar op de schoorsteenmantel, omringd door babyfoto's van Megan in zilveren lijstjes. Haar ongelukkige foto, uit haar laatste jaar op de universiteit, stond daarachter en keek ons kwaad aan.

Het is te koud voor de maand mei, Memory Lane is glibberig door de rijp; straks worden we ingehaald door joggers en fietsers, wettig en energiek, maar nu zijn we nog onder elkaar; we haasten ons in de ganzenpas, terwijl de sparrentakken langs onze armen strijken; hun harsgeur is zo sterk dat we op de grond zouden kunnen gaan liggen en indommelen, en slapen tot de volgende eeuw. Deze bossen waren vroeger van ons, in onze eerste huwelijksjaren, toen we nog pioniers waren; we kwamen hier altijd met de kinderen, of alleen. Destijds was het nog geen misdaad om de kinderen alleen thuis te laten tijdens hun slaapje: de jongste in haar ledikant, de jongen in het stapelbed. Er waren toen nog dieren, vossen en bevers, soms een havik, en er was een legende over een magisch wezen – een vrouw met vleugels – dat in het moerasland woonde.

Barbara loopt vooraan in de rij en houdt de urn met Megan vast. We hoeven niet naar Barbara te kijken om te weten hoe ze eruitziet: haar gezicht lijkt zo op het onze, omlijst door een kort kapsel, boven een geribbelde col. Ze draagt glanzende gouden oorringetjes en ze heeft lipstick op, een kleur uit de jaren zeventig, iets tussen roze en bruin in. De eyeliner waaraan ze gelikt heeft om te verven heeft een beetje gevlekt in de slappe gerimpelde huid rond haar ogen; de rimpels zijn eerlijk gezegd niet ontstaan door het vele lachen en ook niet door de felle zon op een boerderij. Waarschijnlijk eerder door tennis. Of whisky.

We komen aan bij een soort steiger, die ooit een scheepshelling is geweest. Een verzameling zwerfkeien vormt een cirkel om een nutteloos stuk platgetrapt gras, bezaaid met sigarettenpeuken en penny's. Midden tussen de keien staat een gedenkplaat, waarop te lezen is dat de Slag bij S— zich in 1776 op deze oever voltrok, wat tot gevolg had dat de troepen van Washington opnieuw hun tenten opsloegen in

Paterson, New Jersey. Iemand heeft FUCK geschreven over de S—, en MARTHA over Washington. Canoe leest het hardop voor. 'Fuck Martha,' zegt ze. We wachten op de dingen die komen gaan. Mimi Klondike klapt in haar handen, Louise Cooper snuit haar neus. En net op dit moment komen de ganzen uit het niets te voorschijn en vormen een troep.

De dageraad is prachtig, een grijzige mist stijgt op uit het stuwmeer. Carmen springt over een steen. Ze is hier een paar maanden geleden geland, als een exotische vogel die uit de koers is geraakt. Suzie heeft haar meegebracht, maar Carmen lijkt een beetje daas, alsof ze nog steeds op het zuidelijke halfrond is – met haar oogschaduw van de drogist en haar grote oorringen. En leren beenkappen.

Ze laat vuile sporen achter. Ruikt naar knoflook en sigaretten. We hebben gezien hoe ze klont na klont in haar koffie gooit, en dan met een lepel in haar kopje vist om de suiker op te eten. Ze slist, heeft een nieuwe beugel om haar tanden recht te zetten; ze zou vijfenveertig kunnen zijn of zestig, ze heeft reusachtige handen. Suzie heeft ons verteld dat ze elke morgen om vier uur opstaat om Suzies Morgan te roskammen, zijn manen en staart met rood lint in te vlechten en zijn hoeven in te wrijven met lijnzaadolie. Toen ze een klein meisje was, heeft Suzie verteld, had Carmen geen schoenen en haar vader sloeg haar tot bloedens toe. We weten dat ze vroeger rachitis heeft gehad, schele ogen, luizen; we weten eigenlijk te veel en hebben Suzie gevraagd om het rustig aan te doen.

Carmen springt over een andere steen en we draaien ons om, wachtend op Barbara. Wat verwacht ze van ons?

Ze draait de urn open en we turen naar binnen; we herinneren ons Megan als klein meisje, niet anders dan een van onze kleine meisjes; een maillot, lakschoenen en haarspeldjes, een verjaardagspartijtje in juli, met ballonnen en serpentines – maar later werd Megan dik en nors, en ze veranderde haar naam in Gan toen ze een tiener was. Hier in de urn is ze een hoopje as, niet fijn, zoals de as van een sigaret, maar klonterig. Zij is gruis en wij zijn vlees en bloed. 'Het is iets verschrikkelijks om je kind te overleven,' zegt Barbara, terwijl de ganzen opstijgen en verwoed met hun vleugels slaan.

Wij werden voor het eerst met de folder geconfronteerd als bijlage bij de nieuwe maandelijkse nieuwsbrief van de club, later zagen we dat hij was aangeplakt naast de gerenoveerde dameskleedkamer met het nieuwe behang dat wij lelijk vonden, hoewel er kennelijk was gestemd.

De ganzen, stond er in de nieuwsbrief, bezorgen ons een ENORME OVERLAST, zijn een RISICO VOOR DE GEZONDHEID en GEVAARLIJK VOOR DE ZWAKKERE SOORTEN. Zwakkere soorten? Welke? We zaten te wachten tot Pips Phelp, onlangs gekozen tot voorzitter van de club, het zou uitleggen. Dat was op een vergadering van clubleden, waar Pips Phelp aan het hoofd zat in een sweater en een sportbroek.

'Vrienden,' zei hij, hoewel hij onze vriend niet was; Suzie was de enige onder ons die ooit op het idee was gekomen om hem thuis op te zoeken, en dat was niet uit vrije wil. Ze had het gedaan om de zaak van Carmen te bepleiten, Bambi in haar rolstoel meevoerend om medelijden op te wekken. 'Ze is uit het niets verrezen,' had ze tegen Pips gezegd. 'Ze is een natuurtalent, met handicap nul,' had Suzie gezegd – dit hoorden we allemaal van Bambi, die bezwoer dat ze geen kik had gegeven: 'Ze is een regionale tafeltenniskampioen,' zei Suzie. 'Blinkt uit in dubbelspel,' zei ze. 'Ze heeft een zilveren beker gewonnen op het toernooi in Argentinië.'

Pips gaf hun frisdrank in plastic bekertjes; zijn vrouw Eleanor en hun kleurloze kinderen zaten in Disney World. 'We zullen alles in overweging nemen,' zei hij.

Ze had zin om aan zijn kleffe handen te rukken, zei Bambi. Ze had een uitval kunnen doen vanuit haar rolstoel om aan zijn kleffe handen te rukken. Suzie verschoof haar gewicht, dat aanzienlijk was geworden sinds Carmen, en haar haar, dat ze vroeger verfde en nu had laten uitgroeien tot het grijs was. 'Ik groei op zoveel manieren,' zei ze tegen ons, met een zinspeling op seks, hoewel we dat allang hadden begrepen.

'Je zult haar moeten voordragen aan het comité,' had Pips tegen hen gezegd. 'Wat is ze, een vriendin? Een familielid?' Dit zei hij expres, volgens Bambi; Pips was niet gek, een stiekeme miljonair, met een nieuw huis in de stijl van Palladio, een perk vol balsemienen midden in zijn rondlopende oprijlaan, en ramen die ver uitkeken over de Brandywinerivier. Suzie kreeg een kleur, zei Bambi, maar ze gaf niet op; ze complimenteerde Pips met zijn verzameling kaarten van de veldslagen uit de Amerikaanse Revolutie. Ze wist niet dat hij een liefhebber was! Ze zou het énig vinden om ze te zien. Hij had hen langs de hele periode geleid, van 1776 tot 1783; de kaarten waren chronologisch gerangschikt, van de Slag bij Germantown in de hal tot de overgave bij Yorktown boven de haard in de grote zaal.

Pips stond voor de leden van de club te wachten tot het stil werd. 'Kom op, luisteren!' riep hij. 'Kom op, luisteren!' De notulen van de vorige besloten vergadering waren al voorgelezen, compleet met een gedetailleerde financiële verantwoording van de renovatie. Nu werden de namen van de nieuwgekozen leden langzaam en plechtig opgedreund door Jeannie Yeatman, ons oudste levende lid. Ze las ze op alfabetische volgorde en pauzeerde tussen elke twee namen om een dramatisch effect te bereiken of naar adem te happen; haar zuurstoftank stond klaar achter haar stoel. Jeannie was een bekende figuur in de speelzaal, waar ze bijna iedere ochtend bridgede met een wisselende groep oude tangen die wij altijd Zij Die Wij Niet Willen Worden noemden, verschrompelde aardvrouwtjes met bulten op hun rug als vreemde, logge pakken. Ze las de laatste naam op met haar krakerige stem, vouwde daarna langzaam het papier tot een keurig vierkantje en gaf het terug aan Pips, die misschien wel, misschien niet eventjes naar Suzie keek, die terneergeslagen tussen ons in zat.

'Meneer de voorzitter,' zei Jeannie Yeatman, 'gaat u verder met de vergadering.'

Deze laatste zin eiste zijn tol. Jeannie strompelde achterwaarts en reikte naar de leuning van haar stoel; gelukkig was het een van die gebloemde leunstoelen, speciaal voor dit doel hiernaartoe gehaald vanuit de dameskleedkamer. Betty Dugan, de secretaresse van de club, sloot haar weer aan, en het gezoem van Jeannies zuurstofmachine snoerde Pips tijdelijk de mond. Wederom stond hij te wachten tot iedereen stil was.

'We staan met ons hoofd in een strop,' zei hij, en je had een speld kunnen horen vallen. Ja, het was dezelfde Pips die

Hem had gespeeld bij het Ingrijpen, saai als hij was, slecht als hij was gecast voor zijn rol, in onze ogen, een armzalige plaatsvervanger, een Haar-Hem, had Mimi gezegd, en we hadden haar allemaal de vijf gegeven. Dezelfde Pips die dikwijls voor ons had gestaan, met zijn elastieken broekband en zijn witte pasgepoetste schoenen. Maar nu leek hij een andere Pips, een man die in zijn lichaam plaats bood aan de schim van een jongere man, een soldaat die veldslagen had ontketend op de kusten van verre landen, een man die ons met opgeheven scepter de weg wees. De hele zaal hield zijn adem in en wachtte, het enige geluid dat je hoorde was het zoemen van Jeannies zuurstof.

'De strop van het gemak, gesnopen? Een uitje naar het casino, een nieuw paar gympen, een diskman.' Wij zagen de diskman voor ons als een afgekloven mergpijp en wachtten niet-begrijpend af; maar we vertrouwden erop dat Pips ons snel duidelijk zou maken waar het om ging. Het feit alleen al dat hij het woord 'diskman' uitsprak tijdens een besloten ledenvergadering van de club, in een zaal die later op de avond gebruikt zou worden voor een introductiebal, deed ons lichtelijk huiveren, en we hoopten op iets gevaarlijks.

'Er is een winkelcentrum bij Governor's Picnic, een winkelcentrum bij Sea-Cliff Manor, er is er een bij Teddy's Turnabout, en bij River Run. Er is er een bij het dal van de Brandywine, de heuvels van de Brandywine, het kruispunt bij de Brandywine, en bij Brandywine Forged.' We zagen nu dat Pips zijn tekst oplas van een papiertje.

'Vreemdelingen omsingelen ons, en rijden met hun ruimteauto's rondjes om onze kleine groene oase, winkelend, winkelend, winkelend; zij bedelven ons onder het afval van hun leven: de vuiligheid, de rotzooi, de *ganzen*.'

Een zacht, onbetekenend stemmetje achter in de zaal vroeg: 'Ganzen?'

'Ik zal een handtekeningenblad laten rondgaan. Wij gaan ze bestrijden in groepjes van vijf. Ik voorspel jullie dat dit nog maar het begin is. Ik voorspel jullie dat dit een lang gevecht gaat worden, vol overwinningen en nederlagen. Maar het is een gevecht voor onszelf, voor onze manier van leven: onze fairways en greens. Wat velen van ons als vanzelfsprekend beschouwen, maar wat nu verdedigd moet worden.'

'Met jullie hulp zullen ze in netten worden gevangen en later, in samenwerking met het ministerie van Volksgezondheid en de Dierenbescherming, worden uitgeroeid. In de tussentijd bestrijken we hun eieren met een laagje olie.'

Het zachte, onbetekenende stemmetje vroeg: 'Olie?'

'Zijn er vragen?' riep Pips; dat was een uitdaging.

Suzie stak haar hand op.

'Goed,' zei Pips. 'Er worden duidelijke instructies gegeven in de folders die Betty nu zal uitdelen. Ze zullen in de loop van de week ook op het mededelingenbord worden geprikt. Om kort te gaan: we hebben jullie hulp nodig. Elke keer wanneer jullie een nest met eieren aantreffen, moeten jullie een functionaris van de club inlichten waar het zich bevindt, zodat we de eieren kunnen oliën.' Pips schraapte zijn keel. 'Ik zal jullie uitleggen waar het om gaat,' zei hij. 'De olie voorkomt dat er zuurstof door de eierschaal gaat, zodat het jonge gansje stikt.'

'Oliën als een werkwoord?' vroeg Canoe. 'Dat is gelul.'

'Goed,' zei Pips. 'Zijn er vragen?'

Suzie stak haar hand op.

'Gelul over fairways en greens,' zei Canoe. 'Gelul over onze manier van leven.'

'Goed,' zei Pips. 'De vergadering wordt geschorst.'

Carmen was degene die het nest vond, niet lang nadat Pips ons onder de wapenen had geroepen. Ze reed op Suzies Morgan in de buurt van het stuwmeer, wat verboden was, aangezien Memory Lane niet langer toegankelijk was voor dieren – vroeger gingen we hiernaartoe om onze honden te laten rennen, toen ze nog leefden. Ondanks dat verbod was er sinds kort een spoor uitgesleten langs het hek; het liep om het stuwmeer heen en ging daarna omhoog naar Bishop's Hill, een heuvel die vroeger gebruikt werd om te sleeën, herinnerden we ons, voor het ongeluk van Elisabeth Stilton en de invoering van de Wet op het Sleeën.

We vertelden Carmen hoe het vroeger was. Dikke hopen sneeuw – die met tientallen centimeters tegelijk hoger werden – en de winterdagen van toen, met zon en blauwe luchten, skipakken, en kinderen met wanten aan op pas-ingevette sleeën. We gaven ze warme chocolademelk met marshmallows te drinken. We maakten boterhammen. Ons haar was toen nog lang en onze tanden waren wit, en we hadden geen zorgen, behalve het warmen van bevroren vingertjes en de vraag wat we zouden ontdooien voor het avondeten; een borrel om zes uur was iets om naar uit te kijken, een schoon huis was erg fijn.

Of was het allemaal verschrikkelijk, zoals onze dochters ons graag onder de neus wrijven?

Enorm, gaat Carmen verder. Ze maakt een cirkel met haar armen. *Reusachtig*, lispelt ze. Ze zit in ons midden met leren beenkappen en laarzen aan, onder een rek met hangende koperen pannen aan Suzies keukentafel, haar cap ligt op tafel. Wat een modder laat ze achter, denken we; ze maakt altijd sporen.

Ze laat de cap kantelen om ons het ei te laten zien; het is gedeeltelijk gewikkeld in iets wat eruitziet als een babymutsje. Het is een joekel van een ei, een geelkleurige bol. We staren naar de met modderspatten bedekte schaal alsof het een wereldbol is: Californië, Argentinië, Florida, van waaruit zojuist het bericht is gekomen dat Megan zichzelf heeft opgehangen in het schuurtje van Charlies strandhuis. Geen brief met een verklaring, geen waarschuwing, alleen een meisje dat we nog als baby gekend hebben, dood.

Op het eerste gezicht gaat het goed met Barbara. Ze zit tegenover Carmen aan het hoofd van de tafel, met een licht geruit jasje aan en een broek, haar benen over elkaar, haar armen gekruist. Ze zit te luisteren naar Suzies vertaling van Carmens verhaal. Blijkbaar is Carmen voor dag en dauw opgestaan om te gaan rijden over het nieuwe pad rond het stuwmeer. Ze vond het nest op de plaats waar het pad omhoogging, naar Bishop's Hill.

'*Reusachtig, hè?*' lispelt Carmen weer.

Carmen kijkt van de cap naar Suzie, er wordt stilzwijgend iets tussen hen uitgewisseld.

'Eigenlijk is het droevig,' zegt Suzie.

'Alles is droevig,' zegt Bambi, die achter ons staat.

'Ik zou het graag willen vasthouden,' zegt Barbara vanuit haar plaats aan het hoofd van de tafel. De klank van haar stem doet ons schrikken, en dan pas realiseren we ons dat ze de hele tijd nog niets heeft gezegd. Toch willen we dat ze nog een beetje langer blijft zwijgen; we zouden willen dat er nog meer tijd verstreek, om terug te keren naar onze groene oase, naar de meisjes in hun skipakken, met wanten die aan roze mouwen zijn vastgespeld en tranen van de kou op hun schrale wangen. We zien ze nog haarscherp voor ons: als dominosteentjes achter elkaar geperst op het gladde lattenwerk van de slee; ze staan klaar op de top van de heuvel. Het zijn zoete meisjes; ze wachten tot wij hun een seintje geven voor ze naar beneden suizen.

Barbara reikt over de tafel naar Carmen, die het ei oplicht uit zijn wollige muts.

'Het is waarschijnlijk al dood,' zegt Barbara, terwijl ze het ei bij haar oor houdt. Ze luistert alsof ze iets kan horen.

Canoe piept: 'Het is hier binnen bloedheet.'

'Bij de laatste telling waren het er driehonderdzesentwintig,' zegt Mimi Klondike.

'Wat?' zegt Bambi.

'Ik krijg geen *adem*,' piept Canoe.

'Ze hebben driehonderdzesentwintig eieren geolied en teruggelegd in hun nest,' zegt Mimi Klondike. 'Op de voorpagina van de nieuwsbrief.'

'Wat heeft het voor zin om ze terug te leggen in hun nest?' vraagt Bambi.

'Dat heeft iets te maken met instinct. De herstructurering van het moederinstinct,' zegt Mimi Klondike. 'Ik heb het gelezen.'

'Die heb ik niet gekregen,' zegt Judy. 'Was dat die van april?'

'Ja hoor! Moederinstinct,' zegt Bambi. 'Gooi dat ei eens naar mij toe, lieverd.'

Barbara gooit op en we kijken hoe het ei door de lucht zeilt.

'Kijk mam, ik vlieg!' roept Canoe schril, terwijl Bambi het ei vangt en weer hoog in de lucht gooit. 'Het weegt niks,' zegt ze, 'en het is leeg.' Ze laat het ei met een klap neerkomen op de beklede armleuning van haar rolstoel; de knal klinkt niet als een donderslag of een geweer, maar als een stokje dat zomaar wordt afgebroken.

Wat nu?

In de sprookjes tuimelt het jonge gansje uit het ei, volmaakt van vorm, schudt haar witte, donzige veertjes en spreidt langzaam haar vleugeltjes uit. Eerst een beverig stapje, dan twee, dan stijgt ze op van Suzies keukenvloer en vliegt door het keukenraam naar buiten. Vol trots kijken we toe terwijl ze wegzweeft. Kijk eens wat ze geleerd heeft onder onze zorgvuldige hoede! *Nature? Nurture!* Moet je zien hoe ze, gedragen door de luchtstromen, over onze oprijlanen en afbrokkelende stenen muurtjes scheert; ze vliegt over weilanden met blaffende honden, verlaten speelplaatsen, paarden die ooit keurig verzorgd werden, roestende auto's, met compost bedekte tuinen en wegen en wegen en wegen, ze stijgt op als de legendarische kraanvogel en vliegt door de wolken om te verdwijnen in de richting van de hemel, met alle geweld op zoek naar het avontuur, naar het koninkrijk der goden.

Maar het ei is leeg. Stof.

Bambi zei dat ze dat allang wist, ze wist dat het ei te licht was om iets te bevatten. Het is 's avonds laat in Mustang Sally's, lang nadat we in het schijnsel van de gekleurde lampjes op het podium hebben gestaan om 'Sweet Caroline' te zingen, als toegift op Carmens 'Volare'. Italiaans, Spaans, ze leek het allemaal te kennen, maar wat had Suzie ons net verteld? Gered door de jezuïeten? Een studie gedaan in Parijs?

'Ze is uit het niets verrezen,' zegt Suzie. 'Het is een schandaal dat ze gedeballoteerd is.'

'Bravo!' zegt Viv.
'Reusachtig!' zegt Bambi.
We heffen ons glas, de versterkte basgitaar dreunt even onophoudelijk als ons hart.
'Fuck Martha!' roept Canoe, en we klinken.

Maar eerst, eerder op de dag, vraagt Barbara aan ons of we haar willen helpen, of we alsjeblieft een stukje van Megan willen pakken om uit te strooien over het stuwmeer. Megan zou dat op prijs hebben gesteld, zegt ze. Ze zegt dat Megan haar op het laatst niet zo aardig vond, maar ze denkt dat Megan het fijn zou vinden om te zien hoeveel vrouwen hier zijn om haar uit te strooien over het water. Misschien kan Megan ons nu zien en horen, zegt ze, misschien is mijn Megan hier in ons midden, niet in deze urn maar ergens anders. Misschien kijken ze allemaal naar ons, zegt ze – en we weten niet zeker of ze de doden bedoelt of de levenden, hoewel deze aanroeping een gedenkwaardig moment lijkt. Historisch op een manier zoals wij dat nooit zullen zijn.

De ganzen keren terug, duikend, toeterend, ze vormen een volmaakte V. Ze overleven in de randgebieden, hun kracht ligt in hun aantal. Na verloop van tijd zullen hun troepen slinken – ze worden vervolgd! –, maar vanochtend kan dat ze geen donder schelen.

Barbara huilt en we laten haar begaan. Begrijp ons goed: wij zijn niet wreed. We zijn niet anders dan de vrouwen die onze dochters later zullen worden. Maar we zouden wensen dat deze vertoning voorbij was. Want we kunnen niets doen, zouden we tegen hen kunnen zeggen; de dood komt voor allen die leven; ze vinden ons harteloos, en dat zijn we ook wel een beetje, onze harten zijn uitgeput door het langzame kloppen van ons bloed.

KOM ZOALS JE TOEN WAS

We trouwden in witte jurken, onze aanstaande mannen stonden glimmend gepoetst aan het eind van het middenpad. Het ging te snel. Dat is de reden voor het feest, of zou, volgens Canoe, de reden moeten zijn voor het feest. Kom zoals je toen was, zei ze. Het heeft geen zin om ze in de mottenballen te laten liggen.

Canoe is geheelonthouder-af. Ik ben niet gevallen, ik ben gesprongen, beweert ze. Geplonsd. Halsoverkop. Ik ben geduikt, zegt ze, of is het gedoken?

'Gedoken,' zegt Viv. 'Net zoals hangde en hing.'

'Dat zei Charlie ook toen hij belde over Megan,' zegt Barbara. 'Ik moest mijn best doen om hem niet te verbeteren. Ik bedoel, dat was het eerste waar ik aan dacht. Het is hing, wilde ik zeggen. *Hing*.'

Het is een tuinfeest, een snikhete dag in juni, ze heeft deze datum geprikt omdat het de langste dag is, de zonnewende. In Scandinavië gaat de zon niet onder, als we dáár waren zouden we om halfvier 's nachts zalm en roggebrood eten, en om vier uur 's nachts gaan tennissen; in het oerwoud van Mexico verzamelen zich grote groepen mensen aan de voet van de piramides; ze wachten tot de zon precies de goede hoek maakt om een schaduw te werpen in de vorm van een slang die een steen verzwelgt.

Hier is het gewoon de langste dag. We vormen een kleine kring, er zijn geen andere gasten. Vroeger waren er veel gasten op Canoes feesten. We stonden altijd uit te kijken over

Canoes gemaaide grasvelden en, nog verder, naar het weiland waar haar dochter Anne een paard hield. Hij stond daar vaak te wachten, dicht bij ons in de buurt, met zijn gevlekte snuit en donkere ogen.

Wie weet wat er nu in het weiland staat te wachten? De bomen zijn uitgegroeid tot een bos, het weiland staat vol doorgeschoten gras. Tussen de rijen daglelies slingeren de klimop en de gifsumak; je kunt de lelies beter niet plukken. Pollen verdorde narcissen en verdorde irissen staan her en der verspreid in de bloembedden; Canoe houdt zich met andere dingen bezig. In de maantuin vol witte bloemen heeft ze vingerhoedskruid, anjers en een verbijsterende hoeveelheid petunia's geplant, hoewel ze ooit bezwoer dat ze die voor geen goud zou willen hebben. De tuin gloeit van kleur aan de uiterste grens van haar landerijen. Ze kan het zien vanuit haar uitkijkpost, zegt ze, waar ze zit te wachten tot haar mannen terugkomen.

Vroeger waren er aanbidders en er liepen ook tuinlieden rond, maar Ricardo heeft geen tijd voor de tuin, heeft hij eerder op de dag tegen haar gezegd, gezien zijn verantwoordelijkheden voor het zwembad.

'Geef hem de zak,' zegt Louise Cooper. 'Stuur hem de laan uit.'

'O, jezus,' zegt Canoe. 'En wat dan?'

Louise haalt haar schouders op. 'Neem een ander?'

We barsten in lachen uit en wenden ons tot Suzie, die net is aangekomen, met Carmen als een getemd dier in haar kielzog. Om het lijf van Carmen zit Suzies sluier, die langer en ongetwijfeld duurder is dan die van ons: meters en meters Belgische kant. Carmen wikkelt zich langzaam los, haar vingernagels, daar zouden wij over inzitten, zijn te lang en zullen in het fijne handwerk blijven haken, maar dat kan Suzie niets schelen: zij is een DuPont, al generaties lang, en doet niet moeilijk over haar geld. Ze geeft het achteloos uit aan dure dingen: Jaguars, Coach-tassen en Ferragamo-schoenen. En nu dit, wat we allemaal gewild zouden hebben, stellen wij ons voor: een bruidsjurk van tule en Belgische kant, met parelmoeren knoopjes aan de mouwen, een hartvormige halslijn en een dubbelbreed mosgroen lint aan beide zijnaden.

Juffie naaide de jurk helemaal met de hand, vertelt Suzie. Bij het passen stond Suzie op twee kussens van haar moeders bed. Juffie naaide om haar heen, met spelden in haar mond. 'Ik zie haar nog voor me, met opgestoken haar en gebogen schouders. Ze was het liefste vrouwtje dat er bestond. Deze knoop droeg zijzelf op haar trouwdag, en die gaf ze aan mij mee op mijn trouwdag. God mag weten wat er met die man is gebeurd.'

'Had genaaid,' zegt Viv.

'Wat?' vraagt Suzie.

'O, in jezusnaam, Viv,' zegt Canoe.

Carmen wikkelt zich snel weer in de sluier en loopt achter Suzie aan, een pop en een vlinder. Ze banen zich een weg door de schemering, vuurvliegjes schieten vonken op hun pad. Je zou deze hitte kunnen oplepelen, een kom vol kunnen opeten. We hadden Canoe moeten overreden om het feest naar oktober te verplaatsen, maar dat vond ze onzin. We waren toch allemaal junibruiden? En dat was waar. Stuk voor stuk.

Suzie en Carmen dalen de stenen trap af naar het zwembad, waar kaarsen drijven in jakobsschelpen. Ricardo staat op ons te wachten in een smoking. Hij is ongetwijfeld in verwarring geraakt door zijn bazin, die er tot deze avond op stond dat hij haar nooit één druppel zou schenken, hoe lief ze het ook vroeg.

'Ha! Ha!' zei ze eerder op de avond, en tinkelde met haar ijsblokjes onder zijn neus. 'RICARDO,' riep ze. 'Ha!'

'Magnifiek!' roept Gay Burt naar Bambi, die aan komt rollen in haar zwarte concertjurk met lovertjes, en een boa om haar schouders. 'Beschouw mij maar als de bruidegom,' zegt Bambi. We knikken, maar onze aandacht is afgeleid door Ricardo, die net zijn smoking en smokinghemd heeft uitgegooid. 'Ha! Ha!' roept hij als Suzie en Carmen applaudisseren. We hebben eigenlijk nog nooit zoiets moois gezien als hij, Ricardo. Hij woont aan de andere kant van de Grange in een woonwagen, in het woonwagenkamp dat daar al generaties lang staat. Canoe zegt dat hij op een avond gewoon kwam aanwandelen, en op het raam van haar zitkamer klopte terwijl ze televisie zat te kijken. Wat had ze moeten doen? Hem terugsturen naar de plaats waar hij vandaan kwam?

'Hij is zo *lief* voor me geweest,' zegt ze.

We loodsen haar de stenen trap af naar een chaise longue. Carmen en Suzie maken een bordje voor haar met een van de broodjes die Ricardo eerder op die avond heeft besteld bij de Gilded Goose – zongedroogde tomaten, geitenkaas en zwarte olijven. 'Hier,' zegt Carmen dringend. 'Hier, liefje.'

Canoe knikt, straalbezopen. We hadden het nooit zover moeten laten komen, maar ze is onze gastvrouw, dus wie moet ertegen ingaan? We denken terug aan haar veertigste verjaardag, toen Buddy haar optuigde terwijl ze snurkend op de bank lag. Het was een surprise-party, je kon het alleen opmaken uit de zwarte ballonnen langs de oprijlaan en de mysterieuze afwezigheid van de kinderen, die vlak na de lunch naar de buren waren gebracht. Het thema was onze verloren jonge jaren; het laatste moment dat we Canoe rechtop hadden zien staan was ze aan het hoelahoepen, met handschoenen tot haar ellebogen en een sigarettenpijpje tussen twee satijnen vingers geklemd. Buddy tekende een rode snor en duivelse driehoekige rode wenkbrauwen op haar slappe gezicht. Haar lippenstift had dezelfde kleur als die in onze eigen tassen. Hij poederde haar haar grijs en wikkelde haar benen in zwarte zijde. Uit de kamer van Anne haalde hij knuffelbeesten, allerlei boerderijdieren: varkens, paarden en een kapotte koe. Hij zette een paar dieren op haar schouders en plantte de koe op haar kop – ze zag eruit als een benevelde Gulliver, vastgebonden door de Lilliputters – het effect was wel komisch. Nou, de mannen moesten lachen en wij ook, en toen schreef Buddy, die zich ongetwijfeld gesteund voelde, SCHOP ME op de naakte, sproetige huid van Canoes borst, en ondertekende het met een smiley, die we herkenden van onze eigen briefjes, en de instructies die we overal in huis achterlieten: ☺.

Iemand had een polaroidcamera bij zich, en op de foto ligt Canoe in een diepe slaap, wij allemaal en een paar van onze mannen staan op een kluitje om haar heen, met vrolijke gezichten. Canoe deed er een goedkope lijst omheen en hing de polaroidfoto boven de wc in de hal – mijn mooiste moment blijft bewaard voor het nageslacht, zei ze, dit was mijn hoogtepunt –, maar de foto verbleekte, zoals dat gaat, en in minder dan geen tijd waren we allemaal anoniem.

Gay Burt zit boven op de heuvel bij Bambi, want het is te ingewikkeld om Bambi's rolstoel naar beneden te manoeuvreren. Gay is in vol ornaat verschenen – haar bruidsjurk is van organdieachtig satijn en heeft een boothals met piepkleine, prachtig geperste plooitjes naar een smalle taille. Dit is goed voor haar, zegt Barbara. Ze heeft de tekenen herkend, zegt ze. Ze denkt dat Gay professionele hulp nodig heeft. Stel je voor dat je wakker wordt met een halve neus, zegt ze, dat is toch een nachtmerrie? We kijken naar Gay; het wordt donkerder, zodat het lijkt alsof Gay verdwenen is in haar witte jurk; de vuurvliegjes schitteren zo nu en dan als het lichten van een donkere zee. De hitte voelt aan als een donkere zee en is bij nader inzien niet massief, maar iets waarin je zou kunnen verdrinken. Wij stellen ons voor dat ze zinkt, Gay Burt, haar trouwjurk golft om haar heen, de rok is een volmaakte witte cirkel, een schietschijf waarin haar neus, of wat ervan over is, het middelpunt is, een neus die gerepareerd is, opgelapt – met wat? Haar elleboog? Haar heup? Het vlees van haar billen? Ze hebben het overal vandaan gehaald, zei ze; ze wilden kijken wat er zou blijven zitten. We proberen niet naar haar te staren, maar het is moeilijk; ze ziet eruit als een lappendeken. Ga je gang, heeft ze glimlachend tegen ons gezegd. *Bewonder me maar.*

Vroeger waren wij allemaal luchthartig. Maagden, of maagden in de tweede graad. We wisten helemaal niets. Ga verder, zeggen we tegen Gay. Dit is veel later op de avond, nadat we Gay hebben overgehaald om bij ons naast het zwembad te komen zitten, en Bambi als een kind naar beneden is gedragen in Carmens staalharde armen. (Hebben we enig idee hoe sterk die zijn? zegt Suzie tegen ons. De spieren die nodig zijn om Morgan in toom te houden?)

Hier beneden is het koeler, en er staan lavendelplanten in de buurt; we kunnen ze ruiken, ook al staat er geen zuchtje wind. Het loopt al tegen tienen, en hoewel je dit geen schemering meer kunt noemen, zijn er verschillende schakeringen rood aan de horizon, of waar eerst de horizon was. De nieuwe bossen belemmeren ons het uitzicht. We zijn omringd door bomen, door het aanzwellende getsjirp van krekels, of is het gezoem? Toch, in het weiland waar Annes paard vroeger stond – verveeld, winderig, zachtjes en klaaglijk hinnikend – is de zon nog niet helemaal ondergegaan.

We zitten op smeedijzeren stoelen of op de harde flagstones rond het zwembad; een van ons zit aan Canoes voeten. Ze ligt zachtjes te snurken, languit op de chaise longue. We hebben de koude pastasalade opgegeten, de zalm, de broodjes met geitenkaas, olijven en zongedroogde tomaten; op onze servetjes staat: 'Wie heeft al die ordinaire mensen uitgenodigd?' Buiten onze kring zien we de gloed van Ricardo's sigaret.

Ga verder, zeggen we tegen Gay Burt.

Gay neemt een deel van haar rok in haar handen, haar nagels, dat weten we zonder ze van dichtbij te bekijken, zijn op z'n Frans gelakt, ze heeft fijne handen. Sinds kort zoekt Gay ons gezelschap. We hebben altijd geweten wie ze *was*: de ex-vrouw van Clark Burt, een door-en-door saaie man (eerlijk gezegd vermoedden we dat hij homoseksueel was). We zagen haar altijd met haar zuster Katherine, een dichteres die blijkbaar aan migraine leed. Katherine was naar onze stad verhuisd kort nadat Gay Burt gescheiden was van Clark, en hoewel Gay Burt altijd een uitgesproken onafhankelijke indruk maakte, leek ze Katherine volledig toegewijd. Ze bracht haar altijd naar allerlei openbare kunstmanifestaties en naar de winterjaarmarkt in Briarcliff; ze gingen zelfs naar tennistoernooien; hoewel wij ons niet konden voorstellen dat Katherine zich voor tennis interesseerde, net zomin als het mannetje in de maan. Wij waren niet geschokt door de dood van Katherine – zelfs op de zonnigste dagen zag ze er ziek uit –, maar de plotselinge belangstelling van Gay was een verrassing. Ze had zich altijd afzijdig gehouden. Ze had zeer goede manieren; we kenden haar al jaren. Kwam ze niet uit een hopeloos arm gezin in Queens? Of was dat Amanda Burkas? Waar het om gaat is: op een ochtend verscheen Gay rechtstreeks uit het ziekenhuis. Altijd hetzelfde. Moedervlekken. Kwaadaardig. Ze had dokter F. geraadpleegd, die de kin van Viv had gedaan, de ogen van Barbara en de spataderen van Bambi, dus we verzekerden haar dat ze in goede handen was, neus of geen neus. 'Ik heb een borrel nodig,' zei ze die ochtend. We zaten bij Viv en aten boerenomelet. 'Ben ik hier aan het goede adres?'

Ik verstopte me in de grote kleerkast en huilde, begint Gay. (Ze heeft *vrienden* nodig, had Barbara gezegd, nadat Gay op die bewuste dag het huis van Viv had verlaten. En we zagen dat het woord 'vrienden' als een steen in een vijver werd gegooid en kringen vormde die wijder en wijder werden – *vrienden!* – hoewel die kringen niets meer omcirkelden dan een schittering van licht, een weerspiegeling die verstoord werd door een briesje of de vleugelslag van een libelle. We hielden elkaar gezelschap, wellicht: vrouwen van een zekere leeftijd met gemeenschappelijke interesses. Maar vrienden? Dat leek te intiem, op de een of andere manier, het klopte niet.) Clark dacht dat ik naar de wc was gegaan, ging Gay verder.

Ik bespiedde hem door een spleet in de deur. Het was een vervallen hotel in het oude deel van de stad. Cape May, zegt ze.

We zwijgen, denken na. We hebben ieder ons eigen verhaal, nietwaar?

De eigenares van het hotel was hun voorgegaan op de trap, zei Gay. Clark stond erop om de koffers te dragen, hoewel de zoon van die vrouw heel goed in staat was om dat te doen. Die zoon zat te mokken bij de receptie en keek verlekkerd naar Gay en Clark, alsof hij de rest van de nacht voor zich zag. De vrouw hield geen seconde haar mond; ze vroeg naar de trouwerij, de hoeveelheid gasten, de bloemstukken, het eten. Achter hen zwoegde Clark met de koffers – ze zaten op de vijfde verdieping, de bruidssuite met uitzicht op de Atlantische Oceaan, of in ieder geval de mogelijkheid om de zee te ruiken als de wind de goede kant op stond. De vrouw deed het raam open en zei: 'Daar', alsof dat briesje genoeg was. De nachtlucht.

'Goedenavond,' zei ze, en Gay wilde haar hand grijpen, wilde zeggen dat ze haar nog niet had verteld over de receptie, over de toespraken, de mooie toespraak van Katherine, die dit voorjaar was aangenomen op Radcliffe en niet van plan was om ooit te trouwen; ze wilde boeken schrijven, ze vond dat Gay krankzinnig was – ja, krankzinnig, dat waren haar woorden. Denk er nog eens over na, had ze gezegd. We gaan samen in een huis wonen net als Virginia en Vanessa.

'Wie?' vraagt Mimi Klondike.

Het hele idee was onmogelijk. *Onmogelijk*, wilde ze zeggen tegen de hotelvrouw, wier zware boezem nog zwoegde van het trappenlopen. Het leek onmogelijk om niet te trouwen, *onmogelijk*, maar de hotelvrouw was al bezig afscheid te nemen, ze zei dat het ontbijt kon worden geserveerd wanneer ze maar wilden, ze hoefden zich geen zorgen te maken dat ze vroeg wakker moesten worden, en ze zei: Zie je wel? Ruik je die zee?

Toen was ze weg, en Clark bleef; hij pakte zijn kleren uit en legde ze in de ladekast in de andere kamer. Zij kon de grote kleerkast nemen, riep hij, en dat deed ze; ze rolde zich op tot een stevige knoop en trok de deur zo goed mogelijk dicht. Na verloop van tijd hoorde ze Clark de kamer binnen komen. Hij had een pyjama aan – ze kon het nauwelijks zien vanuit de kast – en een soort slippers, en hij zat op de rand van het bed, met zijn handen tussen zijn knieën. 'Gay?' vroeg hij na een tijdje, maar ze gaf geen antwoord. Ze trok haar knieën op en maakte zichzelf nog kleiner dan ze al was; ze dacht aan haar vader, die met rode oren een toespraak hield en het ongetwijfeld prettig vond om in het middelpunt van de belangstelling te staan. 'Het doet me verdriet om Gay te moeten afstaan aan zo'n bijzondere jongeman,' had hij gezegd.

Plotseling stond Clark in de deuropening van de kast, zijn pyjama was gestreept.

'Gay?' vroeg hij.

'Ja?' zei ze.

'Ben je ziek?'

'Het gaat goed hoor.'

Hij bleef daar even staan; zij rekte zich een beetje uit. Ze droeg nog steeds haar roze reispakje, dat ze had besteld bij Bonwit's; het bijpassende ronde hoedje lag op een van de kussens van het bed, dat enorm was vanuit de kast gezien, pal in het midden van de kamer.

'Moet ik je helpen om eruit te komen?' vroeg Clark. Ze had één voet op de grond gezet en duwde zichzelf met beide handen omhoog.

'Het lukt wel,' zei ze.

'Mooi,' zei hij.

Ze was zestien; ze was tweeëntwintig; ze was drieënvijftig. Het maakte geen verschil; ze wist niets.

'Het lukt wel,' zei ze.

Hij stak zijn arm uit om haar een steuntje te geven en ze pakte die, met een wonderlijk gevoel van vriendschap voor hem. 'Ik voel me net een toneelkijker,' zei ze.

'Een wat?'

Ze keek hem aan. Ze had hem een halfjaar geleden ontmoet op een dansfeest. Hij had een opleiding gedaan in het zuiden en werkte nu in het kledingbedrijf van zijn vader in Indianapolis; ze hadden gedanst op 'Be My Love' en 'Too Young'. Het dansfeest werd gehouden in het hotel op Mackinaw Island waar zij werkte. Ze moest glazen en borden afruimen van de grote ronde tafels in de opgeprikte eetzaal, met ramen die uitkeken op het meer. Op mooie dagen werden de waterskiërs kriskras over het meer getrokken en je kon ze horen roepen als de ramen openstonden. Ze zou het zich nooit hebben kunnen veroorloven om hier als gast te komen, maar haar zuster had aangepapt met een van de bedrijfsleiders van het restaurant, zodat ze allebei een baantje kregen en een slaapplaats in het bediendenverblijf. Ze hadden gescheiden werktijden, want de bedrijfsleider zag direct dat het bijna onmogelijk was om hen te laten samenwerken. Katherine trok Gay altijd opzij en wees dan naar een van de stokoude gasten die daar zaten te eten, mannen en vrouwen die naar babypoeder en eau de cologne roken. 'Oorlogsheld,' zei Katherine dan. 'Spion van de moffen,' zei Katherine dan. 'Bewonderaar van Stalin.'

'Een toneelkijker,' zei Gay tegen Clark. 'Zo'n ding waardoor je kunt kijken.'

'Heb jij er een?' vroeg hij.

'Laat maar,' zei ze.

Hij was een gast in het hotel, een dagjesgast die was overgehaald om te blijven voor het dansfeest. Een kleinzoon van een spion voor de moffen, onmiddellijk definitief van tafel geveegd door Katherine, die zei dat zijn oren veel te groot waren en dat je aan zijn kin kon zien dat die zich in de toekomst zou verdubbelen.

In de nabije toekomst, zei ze; ze nam een lange trek van haar sigaret en sloeg haar benen over elkaar. Haar serveerstersuniform schoof tot hoog boven haar knieën, maar ze weigerde de verplichte onderrok aan te trekken.

'In de zeer nabije toekomst,' zei Gay, en ze sloeg haar eigen benen over elkaar.

'Jullie spreken niet dezelfde taal,' zei Katherine, en ze glimlachte. 'Bovendien komt hij uit Indianapolis,' voegde ze eraan toe.

'Wij komen uit Queens,' antwoordde Gay.

'Dat is het nou juist,' zei Katherine. 'Je wordt verondersteld je op te werken in de voedselketen; dat is een natuurwet. Darwin. De evolutie.'

'Ik vind hem leuk,' zei Gay.

'Denk aan de kinderen,' zei Katherine. 'Wil je kinderen uit het Midwesten?'

Gay stak haar arm uit en maakte knipbewegingen in de

lucht. Katherine gaf haar de sigaret en stond op.

'Ik ben laat,' zei ze.

'Dag,' zei Gay.

'Doe geen stomme dingen,' zei Katherine. Toen keek ze Gay aan op een manier die Gay nooit zou vergeten; het leek alsof Katherine niet gewoon naar haar werk ging, maar eigenlijk van plan was om terug te gaan naar het bediendenverblijf. Ze zou haar tassen pakken en verdwijnen in de bossen die het meer omzoomden, om haar verdere leven te slijten in een holle boom. Vreemd, zo zou Gay het kunnen omschrijven. Een vreemde, of liever een afstandelijke blik. Er was op dat moment een kloof tussen hen ontstaan.

'Gay?' vroeg Clark.

'Hier ben ik,' zei ze, en ze keek op. Zijn oren waren eigenlijk helemaal rond, of misschien zagen ze er zo rond uit omdat zijn haar pas geknipt was, en omdat hij voor haar stond in zijn gestreepte pyjama en slippers. Ze had hem nog nooit in een pyjama gezien.

Ze glimlachte en hij begon haar te kussen – eerst haar lippen, dat vond ze prettig, dat gevoel kende ze, en daarna haar hals. Zijn handen gingen naar haar rits en hij ritste langzaam haar jurk open, terwijl hij opnieuw haar lippen kuste, alsof zijn handen per ongeluk de jurk van haar schouders schoven, en eraan trokken zodat hij om haar enkels zou vallen, wat ook gebeurde. Ze droeg nog steeds haar hoge hakken en maakte zich even zorgen dat ze zou struikelen als ze probeerde te lopen, want de jurk zat nu om haar enkels; ze droeg naaldhakken die hoger waren dan ze gewend was, want haar moeder had erop aangedrongen dat ze echte damesschoenen kocht, in plaats van de sandalen die Gay had gewild. Daar dacht ze aan, en aan andere dingen: de vaginale douche in haar uitzet, die Katherine haar de vorige avond had gegeven. Wat je ook doet, had Katherine gezegd, laat je niet de eerste keer met jong schoppen. Het negligé dat haar moeder had besteld bij Bonwit's, tegelijk met het roze reispakje; ze herinnerde zich hoe haar moeder het negligé uit het vloeipapier haalde en omhooghield tegen het daglicht. 'Het heet pure extase,' had haar moeder gezegd. Gay keek haar moeder aan, een magere vrouw die er in het felle licht net zo doorschijnend uitzag als het negligé; haar moeder beantwoordde haar blik en haalde haar schouders op. 'Ja, weet ik veel,' zei ze.

Gay heeft een wee, leeg gevoel; om de een of andere reden staat ze in niets meer dan een beha, ondergoed en hoge hakken in een kamer in een stad waar ze nog nooit is geweest, die net zomin naar de zee ruikt als de kamer die ze met Katherine deelde in Queens. Waar is Katherine naartoe gegaan? Naar de holle boom? Een eindje zwemmen in het meer? Op dit moment, op dit late uur, ligt Katherine ongetwijfeld in bed te lezen. De Smith-Corona-tikmachine die ze heeft gewonnen met de afscheidsrede van haar studiejaar, staat op de keukentafel; daarnaast ligt een stapel papier klaar. Als Gay bij Katherine was, zou ze naast haar kunnen gaan liggen; ze zou zelfs tegen haar schouder kunnen leunen en vragen of Katherine haar alsjeblieft nog één keer wil voorlezen, want ze houdt het meest van het geluid van woorden, uitgesproken door de stem van haar zuster.

Clark heeft zijn pyjamajasje opengedaan en Gay staart nu naar het haar dat rond zijn tepels groeit. Het gaat er niet om dat ze bang is voor hetgeen haar te wachten staat – ze heeft er vaak over nagedacht, het zich zo goed mogelijk voorgesteld, voornamelijk aan de hand van boeken, en een paar gesprekken met Katherine. Ze heeft er zelfs naar verlangd, vooral met andere jongens – na feesten of afspraakjes; dan draalde ze in de beschutting van een auto, binnen of buiten de auto, en drukte zich tegen een jongen aan, en kromde haar rug om dichter bij hem te komen; ze was zich bewust van zijn handen op haar huid, de aanraking van zijn vingers die bijna bij het punt waren dat ze van haar moesten vinden voor ze stop zei. En toch, om de een of andere reden voelt ze niets voor de jongen met wie ze getrouwd is. Misschien is het zijn verwachting, sterker nog: de verwachting van iedereen over de komende nacht. Het doet haar walgen, maakt dat ze wil gaan liggen en slapen. Of misschien is het niets anders dan een donkere moedervlek die ze net heeft ontdekt tussen zijn borstharen.

'Neem me niet kwalijk,' zegt ze.

Ze stapt uit haar hoge hakken, uit de jurk die om haar enkels zit; hij is geen misdadiger. Dit zegt hij de volgende nacht, en de nacht daarop. 'Ik ben geen misdadiger,' zegt hij. 'Dit is wettig, Gay,' zegt hij, haar naam uitsprekend zoals je de naam van een kind of een stokdoof familielid uitspreekt, als je moeite moet doen om je geduld te bewaren.

Dan schudt ze haar hoofd, probeert te glimlachen. Fiedeldiedij, zegt ze wel eens, maar soms zegt ze helemaal niets, loopt gewoon de badkamer in en doet de deur op slot.

Er valt een stilte – niemand weet of Gay klaar is met haar verhaal, of dat er nog meer komt. Natuurlijk is er meer; de vraag is of ze het wil vertellen. Maar het lijkt alsof Gay wegdroomt, ze houdt haar jurk nog steeds vast.

'Hij zei dat ik frigide was,' zegt ze ten slotte. 'Ik moest het opzoeken.'

Ze zijn overweldigend, die vuurvliegjes: een hele zwerm. Dat komt door de hitte, en de zoete, zwoele geur van de buddleja.

'Ik dacht dat je moest bidden,' zegt Viv. 'Don zei dat hij nog nooit iemand had meegemaakt zoals ik. Met een universitaire graad. *Summa cum laude*. Hij zei dat ik er een uit duizenden was, een idioot, zei hij, maar het is waar, ik zweer het jullie: ik dacht dat je naar de kerk moest gaan om te knielen en te bidden.

'En wat dan?' vroeg Barbara.

Viv haalt haar schouders op. 'Zou er iets gebeuren?'

We voelen allemaal een zekere spanning in het donker, in de languissante witte nachtvlinders die stijgen en dalen in de maantuin, in het plotselinge, gutsende geluid van de pomp die het water uit Canoes zwembad filtert. Het is erg heet; er dreigt regen.

'Ik heb er nooit een gehad,' zegt Mimi Klondike.

'Wat?' vraagt Barbara.

'Je weet wel,' zegt Mimi Klondike.

Bambi rolt haar stoel geïrriteerd heen en weer, Louise Cooper vouwt haar servet tot een waaier. Uitgerekend zíj zou hier iets aan toe kunnen voegen, maar ze houdt haar mond. In de verte komt een onweerswolk opzetten, of neerdalen; een onweer kan ook worden ontketend door een onbedwingbare brand; daar hebben we iets over gelezen – de wervelwinden die soms ontstaan in een bepaald soort brand, het suizende, ruisende geluid waarmee ze gepaard gaan; we kunnen nu ieder moment doorweekt zijn.

'Mike zei dat het allemaal tussen mijn oren zat. Hij zei dat ik ervoor koos om niet te genieten,' zegt Mimi Klondike. 'Ik zei: misschien doe je het gewoon beroerd slecht, wat "het" ook in godsnaam mag wezen. Ik kon hem nergens mee vergelijken, dus ik klemde mijn kaken op elkaar en verdroeg het. Soms piepte ik een beetje om mezelf te vermaken. Ik deed altijd alle mogelijke spelletjes.'

Carmen en Suzie kijken toe, hand in hand, ze hebben de sluier als een deken om zich heen gewikkeld, ondanks de hitte.

'Ik heb een keer een minnaar verzonnen,' zegt Barbara. Uitgerekend zij is degene die zoiets zegt – dankzij haar therapie van de laatste tijd, haar bekering, zoals zij het noemt, tot een eerlijk leven. Uitgerekend zij is degene die het woord 'minnaar' uitspreekt, alsof het een woord is dat je in een gesprek kunt laten vallen, of zelfs maar suggereren. 'Minnaar' is een woord dat niet in ons leven voorkomt, net zomin als in de levens van de mensen die wij kennen. Het is hoe dan ook te zinnelijk, te grof. Het suggereert goedkope romannetjes en geheimhouding, allerlei onpraktisch gedoe. Toch weerklinkt er een kleine trilling terwijl ze het woord uitspreekt, alsof een fee die boven ons hoofd zweeft met een klein belletje tinkelt. Wie van ons heeft daar niet naar verlangd? De minnaar die niets zegt, die tussen de lakens glipt. Hij masseert onze benen met zijn tenen – we hadden eraan moeten denken om ze te scheren! –, kust onze hals, steekt zijn tong in ons oor. Hij likt ons op, slikt ons door – we hebben geen vaste vorm, zouden we tegen Gay kunnen zeggen. Die hebben we nooit gehad! Geen koffer, geen borduurwerk, geen toneelkijker, niets! Al die moeite, en kijk? We zijn niets dan vissig water, dat in één teug wordt opgedronken, of liever: dat in de lucht verdampt op een hete avond als deze.

'Ik noemde hem Ted,' zei Barbara. 'Ik zei tegen Charlie dat ik hem kende van de middelbare school, hoewel we toen alleen goede vrienden waren. Ik zei tegen Charlie dat hij een fortuin had verdiend met een bepaald geneesmiddel, en net zijn vrouw had verloren. Ik was alleen van plan geweest om hem te troosten, maar het een had geleid tot het ander.'

'Wat?' vraagt Canoe. Ze hijst zichzelf omhoog op een van de Schotse kussens die we uit het badhuis hebben gehaald. 'Waar hebben we het over?'

'Seks,' antwoordt Barbara.

Canoe leunt achterover en lacht, haar jurk is eenvoudig: witte popeline met een boothals en mouwen van broderie anglaise.

'Seks?' vraagt ze. 'Ik zou nog liever onkruid wieden.'

Later drinkt Canoe met kleine teugjes koffie, terwijl ze een van de kletskopjes erin doopt die Barbara heeft meegebracht. Ze zit midden in het verhaal.

'Moeder beweerde dat ze hem bijna iedere ochtend zag rijden over de Mall, in de richting van het Witte Huis, of misschien het Capitool. Kennelijk reed hij op een arabier; iedereen in Washington wist hoe dat paard heette. Hoe dan ook, op een dag zag hij haar terwijl zij uit het raam naar hem keek en zwaaide naar haar, en zij zwaaide terug, en vanaf die dag zwaaide hij altijd (hij was Teddy Roosevelt), tot hij op een goede dag – en Moeder zwoer op het graf van haar vader dat het waar was – riep dat ze naar beneden moest komen; hij tilde haar achter zich op het paard – niemand reed toen met een zadel – en stond op het punt om haar mee te nemen voor een ritje, toen mijn grootmoeder Nettle de deur opendeed met een gele sjaal in de hand en zei: Neemt u mij niet kwalijk, meneer de president, maar als mijn dochter met u aan de boemel gaat door de hele stad, wil ik graag dat ze er netjes uitziet. Daarmee bedoelde ze die gele sjaal, natuurlijk. Ze was een fanatieke suffragette.

Ze woonden in Georgetown. Puur deftig. Ze was enig kind. Haar vader aanbad haar enzovoort, enzovoort. Ze trouwde met de verkeerde man, zei grootmoeder Nettle altijd tegen mij: Je moeder is met de verkeerde man getrouwd.'

'De klootzak,' zegt Canoe.

'Teddy Roosevelt?' vraagt Barbara. Ze is het spoor bijster geraakt bij de gele sjaal.

Canoe drinkt haar kopje leeg. 'Hij ook,' zegt ze.

'En wat gebeurde er toen?' vraagt Suzie.

Canoe kijkt van de een naar de ander; sinds wanneer is ze zo oud? Sinds wanneer zit ze midden tussen de vrouwen?

'Hij weigerde haar mee te nemen. Tilde haar van zijn paard en nam zijn hoed af voor grootmoeder Nettle, en reed op die ouwe Dinges de zonsondergang tegemoet. Blijkbaar stak grootmoeder Nettle haar middelvinger naar hem op; zij zei altijd dat haar generatie de laatste grote generatie was. Van de vrouwen, bedoelde ze. Ze zei altijd tegen Moeder dat het steil bergafwaarts was gegaan met de volgende generaties, van Moeder, van ons. Een teleurstelling voor de hele oude garde. Enzovoort, enzovoort. Dat kon Moeder geen bal schelen. Teddy was haar grote liefde. De dag dat hij stierf was echt verschrikkelijk voor haar. Ze stond midden in de menigte langs de weg te kijken hoe hij in staatsie voorbijkwam. Prachtig, met een paarse fluwelen doek over zijn grafkist, langzaam voortgetrokken door zijn eigen paard. Ze was nog maar een jong meisje. Al die soldaten stonden te huilen. Het was een prachtig schouwspel, zei ze altijd.'

In het donker kijken we naar het schouwspel. Teddy Roosevelt wordt voortgetrokken over de hele lengte van het zwembad, de sombere stoet komt langs Ricardo, die in zijn hemd en boxershort bezig is om het wateroppervlak met een net van insecten te ontdoen.

'Blijkbaar was hij een uitstekende ruiter,' voegt Suzie eraan toe.

Canoe pakt nog een kletskopje. 'Ja, blijkbaar,' zegt ze. 'Hoe dan ook, dit was Moeders lievelingsverhaal, haar begin van het einde. Na die tijd, zei ze, ging het allemaal bergafwaarts. Slecht huwelijk. Kinderen.'

'Zal ik jullie eens vertellen over een slecht huwelijk?' vraagt Louise Cooper.

'O god, Louise,' kreunt Mimi Klondike.

'Een meisje uit de achterbuurt –'

'Daar gaan we –' zegt Mimi.

'Een jongen uit de achterbuurt.'

'De violen zetten in –' zegt Mimi.

'De oorlog in Korea.'

Canoe springt wankelend overeind, haar jurk zit als een toga om haar middel en knieën gedraaid, zodat ze struikelt en achterovervalt, waarbij er een naad scheurt. We kunnen haar nauwelijks zien in het donker, maar we weten hoe ze kijkt: woedend. Ze scheurt de naad helemaal los, het is een opvallend hard geluid.

'Wie doet er mee?' vraagt ze.

Ze is een schim, op haar beha en onderbroek na. 'Wie er het eerst in ligt,' zegt ze, en ze duikt erin; Carmens kakelende lach weerklinkt tijdens de plons. Carmen is natuurlijk de volgende, gevolgd door Suzie, die zegt dat ze dat verdomde ding toch nooit mooi heeft gevonden, Belgische kant of niet. 'Ik zei tegen Juffie: doe geen moeite. Ik was van plan om uit het eerste het beste raam te springen, en het schip te verlaten. Ik was het niet zelf, zei ik tegen haar. Ik wilde een ander leven,' zegt ze, terwijl ze haar rug naar Gay keert om geholpen te worden met de haakjes. 'Ze kon niet ophouden met lachen,' zegt ze. 'Waarom moesten ze altijd lachen als je hun de waarheid vertelde?'

We halen onze schouders op, maar niemand kan dat zien: in deze duisternis zijn we net zo onzichtbaar als de nieuwe maan. Onze witte jurken zijn als vijfsterrenhanddoeken over Canoes smeedijzeren stoelen gegooid. Uiteindelijk volgen we allemaal Canoes voorbeeld, we knijpen onze neus dicht en springen – om ons heen zijn armen, benen en ondefinieerbare borsten. We hadden kunnen weten dat het zo zou aflopen, nietwaar?

We zetten ons af tegen de randen van het zwembad, we duiken zo diep als we kunnen naar de betegelde bodem. We klappen onze benen tegen elkaar, happen naar lucht, en duiken weer naar beneden, tot Ricardo ons te kijk zet door de helle zwembadlampen met één klik aan te doen.

We bieden ongetwijfeld een grappig schouwspel: een school vissen die te oud is om te paaien, maar wanhopig probeert stroomopwaarts te zwemmen.

Ha! roept hij, wijzend. Ha! Ha!

ZIEKE KIPPEN

We komen vroeg aan bij het hospice, een wonderlijk laag grijs gebouw met blauwgetinte ramen dat zich uitstrekt over de helling waar vroeger de boomgaard van Bishop was – we herinneren ons dat we de kinderen hier altijd mee naartoe namen om appels te plukken, de kleintjes wilden per se op onze schouders zitten, hoewel de lage takken vol bijen zaten en onze armen al pijn deden van het reiken.

Blijkbaar was het oorspronkelijk de bedoeling geweest om hier een bedrijvenpark te maken, maar de meeste kantoren stonden leeg of waren in gebruik genomen door verdachte bedrijven: acupuncturisten, zonnestudio's, platenwinkels. We kwamen hier zelden, en als we hier kwamen hadden we de kinderen bij ons, toen ze tieners waren. Soms herinnerden wij hen aan de tijd dat deze heuvels boomgaarden waren, en wezen naar een knoestige boom of een afbrokkelende stenen muur, maar ze hadden daar weinig belangstelling voor, en waarom zouden ze ook? Zij smeedden plannen voor hun ontsnapping, verschanst achter hun slaapkamerdeur, met een handdoek tussen de spleet gepropt om de geur van marihuana en het lawaai van de stereo tegen te houden.

In onze plaatselijke krant hadden we iets gelezen over de particuliere onderneming die het gebouw had gekocht. De veranderingen die de architect had bedacht stonden op de voorpagina: EEN GELUKKIG EINDE VAN EEN VERWOEST

LEVEN. Wij kenden Ginny Jones – redacteur, uitgever, journalist –, met handicap zes, die deze baan onder dwang had genomen na een veelbelovende carrière in een kleine stad, een journalist *on camera*, zei ze altijd; wij namen ons voor om haar te feliciteren met deze dubbele woordgrap.

Een hospice, stond er. Met zwembad en allerlei voorzieningen. Ultramoderne faciliteiten.

Nu waren we hier, de hele plek was overbekend. We reden de ronde oprijlaan op, het traditionele gietijzeren *lawn jockey*-tuinbeeld hield een lantaarn vast; het was daar neergezet om de bezoekers te verwelkomen, hoewel het meer geschikt was om eieren te verstoppen. Met Pasen werden hier eieren verstopt, er waren kerstfeesten, met Halloween werd er zelfs een dansfeest gehouden waar de middelbare scholieren op afkwamen, want iedereen vond het een goed idee om de stervenden in contact te brengen met de levenden, zoals tieners, kinderen, en boerderijdieren die los liepen te grazen in de voortuin. Er was een lama die Fitzwilliam heette, een varken dat Henrietta heette, en Gus het schaap. Wij wisten dat omdat Judy voor die dieren moest zorgen. Ze werd iedere ochtend om zes uur wakker, haar gezelschapsdame reed haar in het vroege ochtendlicht naar buiten, met een emmer graan op haar spillebenen. Haar gezelschapsdame, een dikke zwarte vrouw die Cookie genoemd werd, sliep naast haar op een veldbed, en Judy vertelde ons vaak over de woorden die Cookie mompelde in haar slaap. 'Asperge,' zei Cookie dan. Ze sliep op haar rug met een washand over haar ogen en een soort wasproppen in haar oren.

'Leguaan,' zei ze dan.

Buiten zitten nu een paar andere gasten van het hospice –

ze worden gasten genoemd, alsof ze een langdurige exclusieve vakantie hebben geboekt – bij het zwembad te roken. Ze hoeven niet meer voorzichtig te zijn; ze zouden heroïne kunnen spuiten als ze daar zin in hadden. Er zijn geen regels hier, en de waarheid moet gezegd worden: de gasten zien er goed uit, gelukkiger dan de meeste bezoekers, terwijl zij met doodsverachting op de hoge springplank balanceren. Judy staat geparkeerd bij de asbak, net buiten de draaideur.

'Jullie zijn vroeg,' zegt Judy.

'We konden niet wachten,' antwoordt Viv.

Judy neemt een laatste trek. 'We hebben de Zonnezaal gereserveerd,' zegt ze, terwijl ze de sigaret uitdrukt in het zand. Het verbaast ons nog steeds om Judy te zien roken. Vóór de diagnose was zij de gezondste van ons allemaal; ze at elke ochtend zes amandelen aan het ontbijt, kauwde op Tums-calciumtabletten en knipte artikelen uit de Harvard *Vrouwengezondheidswijzer*, die ze aanplakte op het mededelingenbord bij de dameskleedkamer. Dankzij haar lazen we over de vervanging van oestrogeen, mammografieën en de zegeningen van kinderaspirine. Nu rookt ze mentholsigaretten zonder filter die ze bewaart in een etui dat Bambi vorig jaar met kerst voor ieder van ons heeft geborduurd; E*en vrouw zonder man is als een vis zonder fiets* staat met slordige letters schuin over de voorkant gekrabbeld. Bambi vertelde dat ze dat ergens had gelezen.

Cookie komt te voorschijn, zwart-wit, het belachelijke kleine kapje dat ze moet dragen met een haarspeld boven op haar hoofd vastgepind. Ze wacht rustig af en dan rolt ze Judy door de draaideur die ongetwijfeld ooit bedoeld was voor president-directeuren of druk winkelende mensen.

Binnen lopen we achter hen aan door de schemerige hal; het licht dat door de blauwgetinte ramen valt, maakt een filigreinpatroon op het industriële tapijt. Het lijkt alsof we in een onderzeeboot zijn, de lucht is gezuiverd van alles behalve zuurstof en de geur van ontsmettingsalcohol. Misschien zijn er daar buiten haaien en pijlstaartroggen, en koraalriffen waar schitterend gekleurde vissen heen en weer schieten boven hun paaiplaatsen, met vinnen die sneller slaan dan hun harten. Maar hier is niets dan het kanten blauwe licht en de lange, eentonige gang naar het voormalige zelfbedieningsrestaurant, dat tegenwoordig bekendstaat als de Zonnezaal. Midden in de zonnewijzer bruist een fontein die de contemplatie moet bevorderen. Zeemeerminnen of waternimfen – de meningen zijn verdeeld – kronkelen hun lijven om de fontein in een zevensprong, ze houden elkaar bij de hand en kijken omhoog, hun gezichtsuitdrukking is gepijnigd of extatisch; hun lippen zijn blauw. Ze dansen hier al sinds 1973, als we het bordje moeten geloven.

De groep is nog niet helemaal compleet, maar dat zal niet lang meer duren. Dit is het hoogtepunt van de maand, dat volgens Judy sterk verbeterd is door onze aanwezigheid. Wij bieden een ander perspectief, zegt ze. Stel je voor dat wij alleen met de zieke kippen onder elkaar waren!

Sinds een tijdje noemt ze zichzelf en de andere gasten zieke kippen; wij denken dat het iets te maken heeft met haar zorgtaak voor de dieren, en zijn van plan om daar op een rustig moment met Cookie over te praten. In de tussentijd komen de kippen een voor een binnen. Ze zijn gedesoriënteerd, want de Zonnezaal is feller verlicht dan een mens kan verdragen. De glazen wanden parelen en zweten, de piano in de hoek is afschuwelijk vals; de toetsen zijn uitgezet en gebarsten. De kolibries op de gestoffeerde stoelen om de ronde tafels en de rode kunstbloemen in de Chinese vazen zijn verbleekt door de zon. Het ziet eruit als een landschap dat onder stroom staat. In dit landschap komen ze binnen: mevrouw William Lowell, Betsy Croninger, Cynthia Patrick en Bebe McShane; ze laveren om de fontein heen en klepperen over de gladde mozaïekvloer met gezondheidsslippers en gebloemde rokken aan; we hebben geen idee waaraan zij zullen sterven; ze zien er net zo uit als alle andere vrouwen die we ooit hebben gekend; hun gezichten glijden voorbij in de verzilverde koffiekan, de suikerpot, het slabestek en het botermes.

De vrouwen klemmen hun boeken tegen zich aan alsof het gezangboeken zijn, en gaan met een zekere vastberadenheid zitten. De opdracht voor deze maand: *Mrs. Dalloway*.

Viv tikt met een mes tegen haar waterglas, hoewel niemand nog een woord heeft gezegd. Ze heeft aantekeningen bij zich. 'Dames!' zegt ze, ons tot stilte manend. 'Dames!' We pakken allemaal ons boek. Op het omslag staat een tekening van een vrouw met een lange jurk aan en een hoed op; ze zit op een bank en leunt op één arm, in een tuin met een zee van blauwe bloemen aan haar voeten. De hoed die ze draagt werpt een schaduw over het grootste deel van haar gezicht, maar het is duidelijk, te oordelen naar het licht dat schuin over neus, mond en kin valt, dat dit geen vrolijk boek wordt. Zelfs de kleuren zijn gedempt; de titel is een beetje simpel, vinden we, en in het geheel niet verhelderend.

Betsy Croninger begint aan een lange hoestbui en wij wachten, terwijl we nadenken.

'Virginia Woolf,' begint Viv, 'werd in 1882 in Londen geboren en stierf in 1941, negenenvijftig jaar oud.' Ze kijkt naar ieder van ons, haar hoofd een beetje gebogen om ons over haar leesbril heen in de ogen te kijken, alsof iemand zo brutaal zou zijn om dit feit te betwisten.

'Volgens de internationaal bekende schrijver E.M. Forster,' gaat ze verder, 'schonk Woolf de lezer, aanhalingstekens openen, "een intense vreugde op een nieuwe wijze, en verdreef de duisternis met het licht van de Engelse taal", aanhalingstekens sluiten.'

Wat Viv voorleest herkennen wij van de biografische aantekeningen op de achterkant van het boek, maar toch is het goed om hieraan herinnerd te worden. Viv leunt achterover met het boek ondersteboven op haar schoot; de vrouw op het omslag staat nu op een eigenaardige manier scheef in de blauwe tuin, als een stek die in de grond is gestoken en wortel moet schieten.

'Zijn we het daarover eens?' vraagt Viv.

Er volgt een lange stilte, waarin het geluid van de boekenclub samenvalt met het geluid van de klaterende fontein; iedere zeemeermin of waternimf maakt schuimbelletjes met haar mond, want het water wordt behandeld met een schoonmaakmiddel dat groen schuim produceert.

'Eerlijk gezegd bracht het mij in verwarring,' zegt mevrouw William Lowell. 'Ik kon er geen touw aan vastknopen.'

'Hoezo?' vraagt Viv.

We draaien ons hoofd van de een naar de ander alsof we naar een tenniswedstrijd kijken.

'Ik ben het niet eens met meneer Forster. Ik vind niet dat Virginia Woolf de Engelse taal ergens naartoe heeft geleid. Het boek leek bijna opzettelijk verwarrend.' Mevrouw Lowell haalt haar schouders op en kijkt om zich heen om bijval te oogsten; wij houden ons gezicht in de plooi en wachten af tot de club een bepaalde richting inslaat. We hebben wel een mening natuurlijk, maar we uiten die liever niet voor de hele club overeenstemming heeft bereikt.

'Ik hou van een goed verhaal,' zegt mevrouw Lowell. 'Dickens, of Austen.' Ze leunt achterover in haar stoel. Zij is de oudste hier, haar haar is donzig wit, je kunt het zien omdat het pas is uitgegroeid. Ze draagt een kleine gouden speld met haar initialen en wordt het liefst met 'mevrouw' aangesproken, heeft ze op onze eerste bijeenkomst gezegd. We kijken van mevrouw Lowell naar Viv, en dan weer naar mevrouw Lowell, die haar armen over haar smalle borst kruist; het boek ligt ondersteboven op de tafel voor haar, verbannen naar haar elleboog; de vrouw in de blauwe tuin is nergens te zien.

'Iemand anders?' vraagt Viv, net iets te opgewekt.

'Fantastisch!' zegt Cynthia Patrick.

Plotseling komt er iets in beweging, alsof iemand ergens een deur heeft opengedaan, zodat er een frisse, koele lucht de zaal binnen stroomt.

'Hoe bedoel je?' vraagt Viv.

'Al die bloemen aan het begin; dat vond ik een mooi stuk.'

We zitten te wachten.

'En het feestje,' zegt Cynthia, terwijl een blos zich langzaam verspreidt over haar hals. 'Ik vond het feestje erg mooi.'

'Austen wist hoe ze een verhaal moest vertellen,' interrumpeert mevrouw Lowell, 'en haar boeken betekenen iets. Hoe lang is het geleden? Je kunt ze steeds weer opnieuw lezen. Eigenlijk vind ik dat we *Pride and Prejudice* moeten lezen voor de volgende keer, of misschien *Jane Eyre*.'

'Dat is Brontë,' zegt Judy; ze heeft geen geheim gemaakt van haar antipathie voor mevrouw Lowell.

'Zij ook,' zegt mevrouw Lowell, terwijl ze de groep rondkijkt. 'Zij is ook goed.'

'Ik dacht dat Cynthia aan het woord was,' zegt Viv.

'O,' zegt Cynthia.

'Ga je gang,' zegt Viv.

'Ik ben klaar,' zegt Cynthia, en Viv moet haar best doen om haar kaken op elkaar te klemmen, hoewel ze in gedachten het verbeterende toontje van haar moeder hoort: 'Een kalkoen is klaar.' Ze kijkt naar de groep, en dan weer naar haar aantekeningen. Wat heeft ze opgeschreven? Wat doet het ertoe? Op deze bladzij heeft ze geschreven: 'Dit moment in juni.' Op die: 'Ironie?' Ze kan zich niet meer herinneren wat ze wilde zeggen, alleen het gevoel dat ze had toen ze dit boek las, voor de tweede keer, of de derde keer. Had zij het niet voorgesteld, tenslotte? Was zij er niet van overtuigd geweest dat ze de groep weer op het goede spoor zou kunnen krijgen na die ramp met *Ulysses* van de vorige maand? Dat ze hun zou kunnen laten zien, of ze nu vandaag doodgingen of morgen, dat iets in henzelf helder en ongeschonden was? Iets wat onuitsprekelijk waar was? En nu, Dickens? Charles Dickens? Wat moesten ze in godsnaam met hem?

'Dit moment in juni,' zegt ze om een eind te maken aan de stilte, het onophoudelijk schuimende sijpelende water van de fontein, de hitte en de geur van de Zonnezaal. Ze heeft een hekel aan dit gebouw, met die dieren op het grasveld.

'Waarom "dit moment"?'

'Is er dan een ander moment?' vraagt Bebe McShane, die anders altijd zo stil is. Iedereen wendt zich naar haar toe en kijkt haar aan.

'Ik denk dat ze bedoelt dat er geen ander moment is dan dit. Geen toekomst, geen verleden. Alleen het heden.'

Viv zou een kus willen drukken op de reumatische handen van Bebe McShane, die als verfrommelde gebruikte zakdoekjes in haar schoot liggen.

'Goed!' zegt ze.

'Of in ieder geval het heden uit het boek. Dat vond ik het interessantst. Hoe ze speelt met de tijd, de tijd laat stilstaan, de tijd terugspoelt, gelijktijdigheid –'

'Er bestaat niets buiten ons behalve een gemoedstoestand,' citeert Viv, ze kan het niet laten.

'Klopt,' zegt Bebe.

'Er was een leegheid midden in het leven, een zolderkamertje,' zegt Viv.

'Mm-mm,' zegt Bebe.

'Zou het daarom niet juist zijn om te zeggen dat het gaat over verlangen?' vraagt Viv, terwijl ze de blik van de groep probeert te vangen. 'Nood? Veritas, en daarmee bedoel ik de waarheid.' Ze zwijgt en slikt. 'Rodin heeft gezegd,' gaat ze verder, 'en ik citeer: "De kunstenaar moet *de gehele waarheid over de natuur* tot uitdrukking brengen," – de nadruk leg ik – "niet alleen de uiterlijke waarheid, maar ook, vooral, de innerlijke waarheid", einde citaat. Dus ik zou willen stellen dat dit haar onderwerp is, en met "haar" bedoel ik Woolf, deze zoektocht naar de innerlijke waarheid, en dat wij als het ware haar voertuig zijn, en daarmee bedoel ik niet een voertuig met vier wielen.' Viv kijkt op van haar aantekeningen en glimlacht; in haar fantasie was dit het moment waarop de discussie zou worden onderbroken door gelach, geknik en tekenen van bijval.

'Met 'haar onderwerp' bedoel ik wij, of ons. Vrouwen van een zekere leeftijd,' zegt ze; haar glimlach verflauwt door de stemming van de groep; in het gunstigste geval heerst er verwarring, onder een dikke deken van verveling. 'Nou,' zegt ze, en ze probeert haar schoolmeesterachtige toon een beetje luchtiger te laten klinken, 'heeft zij ons geraakt? Wie van jullie identificeerde zich met Clarissa?'

Niemand zegt een woord. De tweede lama, de zwarte, Niles, wandelt voorbij, en de meeste vrouwen kijken naar zijn langzame reis in de richting van het verder gelegen veld. Viv wacht. Jaren geleden, toen ze nog lesgaf op een kleuterschool, heeft ze een keer een boek gelezen over stilte in de klas; het gebeurt te vaak dat leraren zich haasten om iets op te vullen dat heel goed een noodzakelijke voorwaarde zou kunnen zijn voor een interessante gedachte. Natuurlijk waren haar leerlingen pas drie jaar oud, maar ze had die goede raad ter harte genomen. Laat het volstaan te zeggen dat ze blijft hopen, en zelfs wordt meegesleept door het proza van Woolf, alsof zij ook op het punt staat om naar een feest te gaan. Misschien is het louter de aanblik van deze grote groep vrouwen, met geslepen potloden in de aanslag.

'Ik ben altijd dol geweest op de naam Clarissa,' zegt Barbara. 'Die hoor je niet meer tegenwoordig.'

De groep kijkt van Viv naar Barbara, en dan weer naar Viv, die langzaam een slok van haar koffie neemt. Dus het is in één seconde voorbij, alles is tenietgedaan. Ze zou kunnen huilen, haar bril hangt als een loden last om haar nek. Ze neemt nog een slok koffie en veegt haar mond af met het roze linnen servet dat is klaargelegd door het personeel van het hospice. Ze had een kloostergelofte moeten afleggen, of het boeddhisme moeten bestuderen. In een andere eeuw zou ze in bed hebben gelegen en jong zijn gestorven aan *melancholia*. Of ze zou gedichten schrijven en piano spelen, en haar naam vermannelijken.

Of misschien had ze een stoffige geleerde moeten worden, verschanst in een achterafgelegen hoekje van de bibliotheek, in een groene leren stoel, met haar voeten omhoog, een stapel boeken naast haar, en een schrift. God weet dat ze heeft geprobeerd om het gesprek op een hoger plan te tillen, het over ideeën te laten gaan. Hoe vaak heeft ze gespreksonderwerpen gesuggereerd? Hoe vaak heeft ze voorgesteld dat ze zich zouden aansluiten bij een reisgezelschap? Een van die reizen die ze heeft gemaakt als alumna – opgravingen in de ruïnes van Petra, de Amazone afzakken met professor Lucinda Weissberg, het Britse vorstenhuis bestuderen aan boord van de *Queen Elisabeth II*. Tegenwoordig houdt ze meestal haar mond.

Ze friemelt aan de zachte rand van het boek dat ze vorige week op zolder heeft gevonden, samen met haar schoolboeken en de aantekeningen die ze had gemaakt op de colleges van professor Dipple – dat citaat van Rodin stond daar ook in; in haar eigen handschrift, overgeschreven met de volhardende precisie die verried dat deze studente te hard moest werken, dat het haar niet kwam aanwaaien. Een indringer op deze universiteit, waar alle andere meisjes middelbare scholen hadden bezocht waar Grieks en Latijn werd gegeven. Meisjes die hun zomervakanties doorbrachten in Europa, met oudtantes die hen meenamen naar musea, of op boottochten over prachtige baaien. Haar handschrift – zo serieus, zo totaal zonder esprit of levensvreugde; al haar tekortkomingen waren impliciet aanwezig in die fantasieloze schuine lijnen en ijverige lussen.

Het citaat van Rodin stond in haar aantekeningen over Edna St. Vincent Millay, vermoedelijk aangehaald door Dipple. Ze zag Dipple voor zich zoals ze haar altijd voor zich zou zien: klein achter het spreekgestoelte, haar stem uitwerpend in de put met meisjes alsof ze een grote emmer uitwierp waarmee ze hen optilde! Ideeën! Zij was Dipples lieveling, ze werd zelfs uitgenodigd om op zondag te komen eten in het huis dat Dipple deelde met Cilla Whitney, de studentendecaan. Ze had een dikke acht gehaald en had de prestaties van de hele klas op een hoger plan getild, zei Dipple. Het was een genot geweest om haar les te geven, een *genot* was het woord dat Dipple gebruikte. Viv voelde dat er een blos kwam opzetten in haar hals.

Een bedrieger, had ze gedacht. Iemand die doet alsof.

'En het is geen schande om arm te zijn,' zei Dipple, die precies wist waar Viv aan dacht. 'Dat is geen zonde.' Ze aten gebraden kip met zoete aardappels en sperzieboontjes; ze zaten in de eetkamer, die stijf was op een onherkenbare manier. De eetkamer deed Europees aan, enigszins aristocratisch maar ook artistiek, en een beetje verwaarloosd. Viv was gewend geraakt aan die andere vorm van stijfheid, de stijfheid van geld, van Smith College: de glanzend gewreven notenhouten meubels in het kantoor van de decaan, het gebloemde behang en de gebloemde sofa's in de zitkamer van de decaan. Daar werden haar jaargenoten en zij elke maand uitgenodigd voor de thee; ze zaten met hun benen gekruist bij de enkels en hun rok weggestopt onder hun knieën, ze hadden een linnen servet op schoot om de kruimels op te vangen. De koekjes die de decaan op zilveren schalen liet rondgaan, begonnen te kruimelen op het moment dat je erin beet, en de meeste meisjes namen niet eens de moeite om ze te proeven, maar Viv kon ze niet weerstaan: het ene eind was in chocolade gedoopt, het andere eind was bestrooid met roze suiker. Zij at koekjes en dronk thee terwijl de andere meisjes praatten; ze keek naar het dienstmeisje van de decaan dat de grote theepot bijvulde en stilletjes de servetten opruimde die de meisjes op tafel lieten liggen. Wanneer ze zich herinnerde hoe ze daar zat bij de decaan thuis – de andere meisjes in kasjmieren pakjes en suède schoenen –, zag ze een meisje voor zich met kruimels op schoot, kruimels op haar katoenen bloes, en een trui met elleboogstukken; het was alsof ze over alles heen een schooljack droeg waar *ARM MEISJE* op stond, alsof je aan dat jack kon zien dat dit de enige categorie was waarin zij thuishoorde.

ARM MEISJE stond er op het jack, met grote schuine letters. Ze had het natuurlijk moeten uittrekken en in de vestibule ophangen bij de jassen van de andere meisjes – kameelharen jassen, zelfs minkjassen, met zijdeachtige, ingenaaide labels van Bonwit Teller, Lord & Taylor, Marshall Field –, maar dat deed ze niet, ze hield het aan, foeilelijk van kleur en vreselijk dik, ze zat in elkaar gedoken en hoopte dat niemand het zou zien.

Maar natuurlijk had Dipple het gezien, en nu op dit moment, in Dipples vreemde huis, met het schitterende eind-van-het-collegejaar-weer buiten, voelde Viv weer de last van het jack, hoewel er hier geen dienstmeisjes waren, of bloemen op de muur, of glanzend gewreven meubels. Eigenlijk hadden de meubels een grondige stofbeurt nodig, en de muren konden wel wat bloemen gebruiken. Ze waren dieprood, verlicht door twee zwakke muurlampen met verschroeide lampenkappen, die nauwelijks licht wierpen op de ingelijste foto's van schrijvers in hun eigen omgeving: de beroemde foto van T.S. Eliot aan de piano, en een van Virginia Woolf met parels, lopend naast een vrouw die Rebecca Huppeldepup werd genoemd, in een tuin op het platteland, met een jachthond die bijna tot aan hun schouders reikte.

'Ik was zelf een vluchteling,' zei Dipple. 'En arm! Ik had geen stuiver op zak, laat staan dat ik een paar schoenen bezat.' Ze spietste een stuk zoete aardappel aan haar vork en bekeek het met een strakke blik. Dipple had kort grijs haar en een onopvallend rond gezicht, met uitzondering van haar ogen, die zo blauw waren dat ze paars leken – Emma Bovary-ogen noemde ze die, waarbij ze de aandacht vestigde op Flauberts inconsequentie. Nu kauwde ze, terwijl het woord 'vluchteling' weergalmde in de schemerige rode kamer. De vreemdelingen en de doden aan de muur gingen weer netjes recht hangen, alsof er zojuist een harde wind door de kamer had geblazen; het woord klonk zo anders dan de verfijnde woorden die Viv in Dipples colleges had gehoord, en vol ijver had overgeschreven in haar schriften – *metafoor*, *verlichting*, *bewustzijn*. 'Vluchteling' hoorde in dat rijtje niet thuis: te hard, te Germaans, en toch kon Viv het beeld van Dipple als jong meisje niet meer van zich afzetten, mollig, want het was onmogelijk om je Dipple anders voor te stellen, in een trein, met haar lange, toen nog donkere haar in vlechten, een koffer op schoot en kniekousen aan. Een wees? Joods? Aan de overkant van de tafel glimlachte Cilla Whitney en strooide zout over haar sla.

'Zit er maar niet over in, lieverd,' zei Dipple. 'Later zullen we trots op je zijn.'

'Erg Engels,' zegt mevrouw William Lowell.

Hadden ze het nog steeds over die naam?

'Clarissa?' vraagt Viv.

'Een andere naam waar ik van hou is Dahlia,' zegt Louise Cooper. 'Ik wilde Lizzie dolgraag Dahlia noemen, maar Henry zei: over mijn lijk. Hij had ooit iets gehad met ene Dahlia en dat was blijkbaar een echt klote –'

Viv slaat haar boek open en leest de eerste regel die in beeld komt, hardop voor. '"Eerst de waarschuwing, muzikaal; dan het uur, onherroepelijk!"' zegt ze. De groep wordt stil en kijkt haar aan: het uur is onherroepelijk, de regel willekeurig. Ja? lijken ze te zeggen, maar hier staan geen aantekeningen, niet één van die fantastische bon mots van Dipple – of is het *bon juste*? – die ze zou kunnen doorgeven. Denk na, denkt Viv. *Denk na.* Ieder woord heeft een geschiedenis, zou Dipple zeggen. Een geheime geschiedenis. Je moet die deuren opendoen en naar binnen kijken, je kunt in die kamers wonen als je wilt. Maar wanneer ze de deur opendoet is de kamer leeg, of zo volgestouwd met rotzooi dat ze de deur vlug moet dichtdoen voor er een lawine op gang komt.

'Ik denk dat ik dat begrijp,' waagt Betsy Croninger. 'Binnen de context van het boek misschien niet, maar ik ontdekte dat ik aan andere dingen dacht toen ik deze regel las. Ik heb hem zelfs onderstreept, zien jullie dat?'

Ze reikhalzen om het bewijs te zien. Viv ziet dat de hele bladzijde vol staat met gekrabbel, aantekeningen die ze onmogelijk kan ontcijferen vanuit de plaats waar zij zit; en toch zou ze niets liever doen dan ze lezen; de gedachte aan Betsy die bij een schemerig ziekenhuislampje over haar boek gebogen zit, is meer dan zij kan verdragen.

'Ja?' vraagt Viv.

'Het deed me denken aan het woord *kanker*. Eerst is het muzikaal, dan is het onherroepelijk.' Betsy Croninger draagt een forse pruik, die aan Jackie Kennedy's Griekse periode doet denken. Ze heeft duidelijk bijgetekende wenkbrauwen, zo te zien draagt ze een korset onder haar bloes, ze lijkt een vrolijk weeuwtje; haar borsten, of wat daarvan over is, worden helemaal omhooggeduwd.

'Waarschijnlijk is het onzin. Er wordt helemaal niet zoiets als kanker bedoeld,' zegt Betsy.

Viv kijkt naar haar boek, maar dat levert niets op. Wat zou Dipple hiervan zeggen? En wat doet het ertoe?

'Ik geloof dat ze doelt op de Big Ben,' zegt Viv.

'Ja,' zegt Betsy Croninger. 'Doet er niet toe.'

'De doodsklok,' zegt Viv. Durft ze dit echt te zeggen?

'Ik heb dat ding altijd griezelig gevonden,' zegt Judy. 'Het joeg me de stuipen op het lijf.'

'Eerst was het muzikaal omdat het me op de een of andere manier toestemming gaf. Om… ik weet niet… los te laten.' Betsy strijkt over haar haar, of het haar dat ze draagt. 'Om dood te gaan, neem ik aan. Uiteindelijk was het onherroepelijk, omdat ik besloot dat ik dat niet wilde. Doodgaan, bedoel ik. Ik besloot dat ik dat echt liever niet wilde.'

Mevrouw William Lowell begint te lachen, daarna Bebe McShane en Cynthia, en dan lacht Betsy Croninger zelf ook. 'Liever niet,' herhaalt Betsy Croninger, en ze lacht steeds harder. 'Ik heb besloten dat ik liever niet doodga.'

Ze lachen allemaal, en wij ook, en daarna sterft het lachen weg.

We hebben het boek opzijgelegd om over andere dingen te praten, maar mevrouw Lowell zegeviert; *Pride and Prejudice* wordt met een overweldigend aantal stemmen gekozen tot boek voor de volgende maand. Barbara belooft dat ze discussiepunten zal uittikken – ze heeft gehoord van een uitgave met een Leidraad voor Lezers achterin! Ze zegt dat ze zich verheugt op onze volgende ontmoeting en dan klappen we allemaal, niemand weet waarom.

We gaan over tot de koekjes waar het hospice voor zorgt; plotseling hebben we een razende honger, we zijn trots op onze eetlust. We strekken onze benen en horen onze knieën knakken. We hebben kwaaltjes en pijntjes, maar niet veel meer, en straks zijn we hier weer weg. Naar de club om te lunchen, of voor negen holes. Het is een prachtige dag en we kunnen doen waar we zin in hebben.

Op weg naar buiten gooien we een paar penny's in de fontein, de zeemeerminnen of waternimfen gorgelen nog steeds, je kunt niet zien of ze verdrinken of oprijzen uit het water. Er liggen nog een paar penny's in de geschulpte kom; we zouden ze eruit kunnen vissen om extra wensen te doen, maar wie heeft daar zin in? Je vraagt je af wie ze daar oorspronkelijk in gegooid heeft: misschien een kind dat op bezoek was bij haar grootmoeder, met de wens van een kind om te vliegen of te lopen door een diep, donker woud. Of misschien een gast, midden in de nacht. Judy maakt Cookie wakker, en fluistert: *Kom mee*; ze fluistert: *Alsje-*

blieft. Cookie rijdt haar met tegenzin naar de Zonnezaal, die op dit uur net zo donker is als iedere andere plek. Judy's linkerhand doet het nog – God is mij gunstig gezind, zegt ze – en ze graaft in haar geborduurde beursje naar de penny's die daarin zitten, geluksmuntjes die ze vroeger in haar schoenen zou hebben gestopt toen ze nog een meisje was. Toen ze nog een meisje was?

Ze denkt aan het moment, *dit moment*, dat ze Melissa in haar armen legden. Ze had een rode jas aan en een wollen hoed op; ze had urenlang, leek het, op de parkeerplaats staan wachten terwijl Dick liep te ijsberen, voordat de sociaal werkster de deur opendeed en hen wenkte dat ze mochten binnenkomen. Ze liep te snel, ze dacht niet aan geduld of warmte; ergens daar binnen werd de baby gewogen en gemeten, een baby die nu van haar was. Jij bent het, dacht ze toen ze Melissa voor het eerst zag; ze was al mollig, zes maanden, ze lag in de bak van de weegschaal met haar dikke teentjes in haar mond, of bijna. Maar natuurlijk, jij bent het, dacht ze, terwijl iemand Melissa optilde en door de lege zaal droeg naar de plaats waar zij met ingehouden adem stond te wachten.

Ze kan niet slapen; ze kan niet meer slapen, waarom zou ze niet wensen? Ze houdt een penny in een dunne straal maanlicht en probeert het jaartal te lezen; dat is belangrijk, want alles is belangrijk wanneer je gaat sterven: de glans van de penny, het jaartal, of hij recht naar beneden valt wanneer je hem in de lucht gooit, of met een boog naar de fontein vliegt om *ping* te doen tegen een van de zeemeerminnen of waternimfen voor hij het water raakt. Klinkt er een plons of verdwijnt hij gewoon? Eén penny minder in je beurs, dat merk je nauwelijks.

Haar wens is zo doorzichtig, ligt eigenlijk zo voor de hand, hoewel ze nooit het noodlot zou tarten zoals Betsy Croninger deed, eerder op de dag; ze zou er nooit een woord over zeggen.

Te *leven*.

Haar benen en haar rechterarm zijn al versteend: de ziekte bepaalt zijn eigen verloop, heeft de dokter gezegd, en houdt daar hardnekkig aan vast, als een ader van graniet die een tunnel graaft door een berg; uiteindelijk zal zij verstenen.

Maar nu geeft Judy slechts een teken aan Cookie om haar door de lange gang te rollen naar de draaideur – ze heeft een sigaret nodig, ze heeft een adempauze nodig. De anderen, degenen die gezond zijn, springen al voor haar uit en rennen de helling af die lang geleden leidde naar het wagenspoor in de boomgaard, waar vroeger in het najaar de grote tractor rondjes reed met zijn passagiers. Ze schommelden heen en weer onder de bomen die doorbogen onder het gewicht van de rijpe appels. Ze ging er vaak naartoe en zat naast Melissa op de tractor, of leunde tegen een hooibaal, terwijl ze naar haar keek.

Ze kan het uit de band gevallen boek dat op haar knieën ligt niet voelen. Ze is verbaasd als ze naar beneden kijkt en ontdekt dat de vrouw in de blauwe tuin omhoogkijkt.

En jij? lijkt de vrouw te vragen. Hoe gaat het met jou?

Tijdens de volgende bijeenkomst blijkt dat mevrouw Lowell dood is. Ze is midden in de nacht gestorven, zegt Judy tegen ons; zo gaat het meestal: alsof de gast er genoeg van heeft om zijn avondmaal van een plastic bord te eten –

alles is vervangbaar, moet weg – en daarom heeft besloten om de nachttrein te nemen naar een beter oord.

Judy kan niet zeggen dat ze bedroefd is om de dood van mevrouw Lowell – ze heeft haar nooit erg aardig gevonden –, maar het is een feit dat mevrouw Lowells dood een gat slaat in de groep. Ze zou het leuk hebben gevonden om te horen wat mevrouw Lowell vond van Darcy, en van Elisabeths maatschappelijke dilemma. Ze stelt zich voor dat mevrouw Lowell daar allerlei dingen over zou kunnen zeggen, gezien haar eigen afkomst: een afstammeling van de eerste Lowells uit Philadelphia. Het moet haar verbaasd hebben dat haar leven is geëindigd op een plaats als deze, hoewel ze daar natuurlijk nooit over sprak. Kennelijk had ze een aantal zonen, en ze was vroeger getrouwd geweest met een man die zijn eigen vliegtuigen bestuurde en de invasie in Normandië had overleefd. Er was een presidentsvrouw in haar familie, en verschillende vice-presidenten en senaatsleden, en ze had een keer terloops laten vallen dat ze aan tafel had gezeten met koningin Elisabeth. Het zou enig zijn geweest, zegt Judy, om te horen wat zij van Austen vond, voor wie zij veel bewondering had, zoals wij wisten.

Viv knikt, net als wij, en ziet ineens een kwieke mevrouw Lowell voor zich, met parels om en muiltjes aan, die het gesprek leidt zoals ze vroeger ongetwijfeld deed op diners. 'Ik hou van een goed verhaal,' zou ze zeggen. 'Een begin, een midden en een eind.'

Viv stelt voor dat we dit moment, voor de discussie begint, zullen gebruiken om ons hoofd te buigen en mevrouw Lowell te gedenken. Daar gaan we plichtsgetrouw mee akkoord; iedereen zwijgt, het enige wat je hoort zijn de bladeren die tegen het raam van de Zonnezaal slaan. Het is een stormachtige dag geworden, het is voor het eerst koud. In de boomgaard van Bishop, althans wat daarvan nog rest, zijn de bomen in jute gewikkeld, hun dikke takken zijn kaal, de dode takken zijn tot de knopen afgezaagd en behandeld met een kleverige vloeistof om besmetting te voorkomen. Geiten dolen rond tussen de stammen en wroeten naar meeltorren; ergens anders, in de verte, blaft een hond tegen de wind.

STRIJDERS

Dit is een idee van Barbara, de baby's liggen naast elkaar op haar nieuwe stola van luipaardenbont die rechtstreeks uit Hongkong komt, waar ze blijkbaar minder restricties hebben ten aanzien van wilde dieren; en wat doet het er trouwens toe, heeft ze gezegd, ze moet toch op de een of andere manier gecompenseerd worden voor de vele reizen van Charlie? De baby's hebben hun verjaardagspakjes aan en ze zijn het er helemaal niet mee eens. Hun kleine tomaatrode gezichtjes gloeien van razernij. We kunnen niets anders doen dan op onze handen zitten; als we borstvoeding gaven zouden onze borsten lekken, maar we hebben de baby's gespeend op advies van dr. Spock; een beetje huilen is goed voor de karaktervorming, zegt hij.

Dat willen we, karakter: karakter en hersens en schoonheid en een leven zoals dat van Amalia Earhart, die juist vanochtend in de krant stond, terug van weggeweest, met een witte sjaal om haar dunne hals en kortgeknipt haar. Ter ere van het vijfentwintigjarig jubileum van iets. Niemand van ons heeft tijd gehad om het te lezen, maar het zag eruit als een belangrijke dag; een hele menigte mensen stond te wuiven om haar geluk te wensen. In andere landen, schrijft dr. Spock, laten moeders hun baby's buiten in de sneeuw liggen en die meisjes groeien op tot strijders.

Wij willen strijders, zouden we hem kunnen vertellen. Strijders met karakter. Briljante, beeldschone strijders met karakter. En vliegbrevetten.

Anne grijpt naar haar tenen, dat is een nieuwe kunst. Ze is voorlijk, verzekert Canoe ons, maar ze heeft de genen van Buddy. Megan is in slaap gevallen, en zoekt naar Barbara in de geur van luipaardenbont, waar ze zo te zien op zuigt. De fotograaf, een man die Barbara in de Stone Barn heeft ontmoet, ziet er in zijn sjofele pak met roos op zijn kraag verdacht armoedig uit, in aanmerking genomen dat hij beroemd schijnt te zijn. Hij laat ons zijn truc met het licht zien. Hij laat het over de hoofdjes van de baby's glijden en ze klaren plotseling op, het schreeuwen bedaart en ze halen hun vingers uit hun mond. Vier cherubijntjes liggen languit op de rug van een luipaard, opgevist uit een biezen mandje, net als Mozes, of wie het ook was. Zij zijn gekomen om ons te redden, om ons te leiden naar het beloofde land van het moederschap. Of dat is onze overtuiging; na hun conceptie voelden we dat onze wereld groter werd, en openbarstte uit zijn vroegere staat, die door Canoe de vervelingsbesmetting van het klitterige pasgetrouwde-vrouwtjesgedoe genoemd werd. Toen wisten we nog niet dat ze stiekem dronk, en beschouwden we haar gewoon als een grappenmaker. Toch zit er wel wat in. Door de baby's voelen we ons eigenaardig vervuld, we zijn rechtmatig in een vaste vorm getimmerd. Geen losse planken meer, geen lek vaartuig dat slagzij maakt en stil komt te liggen met een wild tollend kompas – nee, we zeilen recht voor de wind, met gebolde, witgebleekte zeilen, zoals de luiers die in onze badkuip liggen te weken.

Dankzij hen hebben we nu iets te doen.

De fotograaf klikt en klikt, ineengedoken achter zijn vreemdsoortige fototoestel, een ouderwets geval op drie stakige poten. Hij verdwijnt onder de doek en wij mompelen de liefste woordjes die we kunnen bedenken om onze dochtertjes moed in te spreken, met toevoegingen als -ie of -tje.

'Annie,' roept Canoe. 'Baby'tje. Pompoentje. Lach eens!'

'Meggie,' zegt Barbara. 'Meggie!' Ze klapt in haar handen, maar Megan draait haar hoofd de andere kant op en brult.

'Ik denk dat het een tand is,' zegt Barbara.

'Katie,' roept Mimi Klondike. 'Ka-diedeltje!'

De fotograaf duikt op vanonder zijn doek, een vettige sliert haar in zijn ogen. Hij heeft een spoor van een Brits accent, maar dat kan ook aanstellerij zijn. 'Ik geloof dat ik wel een paar geschikte foto's heb,' zegt hij. 'Ik ga ervandoor.'

Hij haalt de stakige poten van het statief uit elkaar en pakt het grote zwarte fototoestel in een doos. We zouden willen dat hij bleef, om redenen die we niet kunnen benoemen. Het gebeurt niet vaak dat er een onbekende man in ons midden verzeild raakt. De laatste tijd zitten we altijd tussen de vrouwen en meisjes; het zijn alle vier dochtertjes, die binnen een paar maanden zijn geboren. Over een tijdje zullen we zonen krijgen, en nog meer dochters, maar de latere kinderen tellen niet op dezelfde manier, daar zijn we het over eens. Zoals dr. Spock zegt: Prijs je gelukkige gesternte als het eerste kind een meisje is. Beschouw haar als je bijbelse Martha. Iemand die orde schept in het huis, die het roer recht houdt.

Barbara brengt de fotograaf naar de voordeur, waar hij over het flagstonepad, dat geflankeerd is door pompoenen, naar zijn Ford loopt. De hele morgen is opgefleurd, hoewel het somber, herfstachtig weer is. Desondanks, de gedachte dat wij het type vrouwen zijn, moeders, die op het idee komen om een vakman in te huren, vervult ons met een zonnig plezier. We zijn nog jong, tenslotte; we hebben iets nieuws gedaan. We zien de resultaten van de inspanningen van de fotograaf voor ons, met enveloppen erom en postzegels erop, op nette stapeltjes in dozen, klaar om de dag na Thanksgiving op de post te worden gedaan. We stellen ons een haard voor en een kerstkrans, en onze baby's tussen de hulsttakken: eendjes op een rij.

Maar er is nog maar zo weinig tijd! Halloween staat voor de deur! Vorig jaar kwamen we 's avonds bij elkaar in Canoes keuken om popcorn te maken – dat was voordat er allerlei overheidsregeltjes werden ingesteld: snoep moest in de winkel gekocht zijn, verpakt, liefst met de houdbaarheidsdatum erop – en nu is Barbara weken te vroeg. Ze heeft haar lantaarn versierd met een vogelverschrikker, en is wel tien keer op en neer gereden naar de boomgaard van Bishop voor kalebassen en chrysanten, en de pompoenen die aan weerskanten van de flagstones liggen. Op dit moment staat er cider te pruttelen op haar fornuis, met kaneelstokjes die eruitzien als ronddrijvende boomstammetjes.

'Dag,' roept de fotograaf, en hij draait zich om naar ons. 'God zegene jullie, hoor.' We wuiven als hij in de auto stapt en wegrijdt, terwijl Barbara terugsnelt over het pad. Ze doet de deur achter zich dicht en we zijn weer binnen, onder elkaar.

'Wat vonden jullie ervan?' vraagt ze, terwijl ze ons een sigaret aanbiedt uit de zilveren schaal die op de paraplubak staat. We zouden je veel over dit huis kunnen vertellen, want dit is het huis waar we het vaakst komen – achter in de gangkast staat een tas met cadeaupapier en linten, die ze heeft bewaard van vorig jaar, uit gewoonte eigenlijk, en vanwege haar Schotse afkomst. De ingelijste prent van het meisje met de zwavelstokjes is een echte Currier & Ives – het arme meisje staat in de dwarrelende sneeuw, haar lucifer is bijna opgebrand, haar vingers zijn bevroren; dat kun je opmaken uit de schaduwen en de sombere nacht op de achtergrond. De prent hangt boven de paraplubak, boven de zilveren schaal waarin, als je goed kijkt, de mededeling is gegraveerd dat Barbara derde was bij de clubkampioenschappen van negen holes voor dames, 1954. We hebben die schaal dikwijls bekeken, tijdens dineetjes of op een gewone middag, terwijl we zelf lucifers afstreken van de luciferboekjes uit de schaal die erbij hoort (eervolle vermelding bij de clubkampioenschappen van negen holes voor dames, 1955). Op die luciferboekjes staat: BARBARA LYNNE & CHARLES ELLIOTT, 12 JUNI 1953, MOGE DE LIEFDE ZEGEVIEREN ALS AL HET ANDERE TEN ONDER GAAT! We lezen het iedere keer: de glanzende zilveren letters in reliëfdruk op het witte omslag. Het was een idee van haar moeder, heeft ze ons verteld; die stuurde dergelijke regels naar de plaatselijke krant en ondertekende ze met de naam Saffraan. Ter gelegenheid van Barbara's huwelijk liet ze bij een plaatselijke drukker honderden exemplaren drukken van een boek dat zij had samengesteld, een bloemlezing van *ditties*, levensliedjes, getiteld: *Ditty-Not!* die ze bij ieder couvert neerlegde. Om je dood te schamen, zei Barbara, maar wat kon ze eraan doen? Ze had zich voorgenomen om voortaan zo ver mogelijk bij haar moeder uit de buurt te blijven, hoewel ze de luciferboekjes bewaarde, zei ze, omdat ze het niet over haar hart kon verkrijgen om ze weg te gooien.

'Hij zou wel een goede wasbeurt kunnen gebruiken,' zegt Canoe, rook uitblazend.

'Is hij gelovig?' wil Judy Sawyer weten.

Barbara haalt haar schouders op. 'Hij is Engels,' zegt ze, maar we weten wat Judy bedoelt. Er was iets verontrustends aan de toon waarop hij de woorden 'God zegene jullie' uitsprak, een scherpe klank die een schaduw wierp over onze eerdere zonnige stemming. Waarom zouden we Zijn zegen nodig hebben? Wat wil de fotograaf daarmee zeggen? Het lijkt alsof een tiener midden in de nacht de tuin is binnengedrongen om Barbara's pompoenen over de glooiende helling omlaag te rollen naar haar koloniale huis, om te zien hoe ze uiteenspatten, een voor een, tegen de walnotenbomen die het licht wegnemen van de slaapkamers aan de voorkant. Ze heeft overwogen om de walnotenbomen te laten omhakken, maar Charlie vindt dat niet goed, want hun waarde stijgt sneller dan die van het huis, een buitenissig exemplaar voor deze buurt, een eigentijds huis in koloniale stijl tussen de stenen tudorhuizen. Op de gekste momenten stelt ze zich voor dat ze de buitenkant opnieuw zal bekleden – met dakspanen of desnoods met natuursteen.

Terwijl ze bezig is pompoenen te plukken, bijvoorbeeld; ze rukt ze los van hun stelen in de boomgaard van Bishop, terwijl de tractor voorbijdendert, met enthousiaste, maar verkleumde passagiers. Dit was kortgeleden op een koude ochtend, toen ze bij het krieken van de dag geconfronteerd werd met Megans geschreeuw, Charlies gesnurk, en het sombere halfduister van het walnotenbosje. Ik moet hier weg, zei ze tegen de rug van Charlie; ze wikkelde Megan in een deken en legde haar op de achterbank. Megan viel onmiddellijk in slaap en Barbara zou ook in slaap zijn gevallen als ze geen sigaretten had gehad: het was kalmerend om op een koude morgen over Route 32 te rijden, terwijl de zon zich schuilhield achter de roze wolken, en het schijfje van de maan hoog in de lucht zichtbaar was.

Ze knipperde snel met haar ogen en concentreerde zich op de weg, op de geur en smaak van haar sigaret. Achter haar en voor haar waren stenen muren, overdekt met korstmos; grazende, dromerige paarden, huizen die verscholen lagen achter jeneverbesbosjes en platanen, hun stenen schoorstenen en stenen funderingen en stenen binnenplaatsen steengrijs. Ieder moment kon het meisje met de zwavelstokjes achter een van de zware eikenbomen te voorschijn komen om Barbara een vuurtje te geven; of misschien zou ze de schilder zien, de beroemde schilder die vlakbij woont, die je zo nu en dan ziet, met hoge laarzen, een pijp en een ezel onder zijn arm; hij sukkelt achter een meisje met knokige knieën aan en schetst de vlechten op haar rug. In de verte dwarrelt sneeuw op een heuvel die verder weg, hoger en mooier is dan een Currier of een Ives.

Er zullen momenten zijn waarop je in paniek raakt, schreef dr. Spock. Pure angst, schreef hij. Probeer je je eerdere geluksgevoel te herinneren, toen je jouw Martha in slaap wiegde; als dat niet helpt, moet je jezelf in de wc opsluiten en huilen.

'Klop, klop,' roept iemand. We zitten in de keuken en drinken de warme, gekruide cider; de meisjes liggen op de stola van luipaardenbont midden op de linoleumvloer, met hun vinger in de mond. Ze zijn nog niet op de leeftijd om te kruipen, en dus hebben we hen omringd met potten en pannen, dikke houten lepels en een tikkende eierwekker. Je moet ze altijd stimuleren, zegt dr. Spock, een gewoon stuk keukengereedschap is het best. Maar ze lijken meer geïnteresseerd te zijn in Barbara's behang, met een dessin van zonnebloemen en windmolens, waar ze zonder iets te zien naar staren. Zijn ze blind? Daar hadden we het over, of kennen ze onze gezichten al? Zouden ze ons eruit kunnen pikken als hun moeder, stel, in een grote groep mensen? Er is iets met onze geur, zegt dr. Spock, hoewel God weet dat we de laatste tijd allemaal hetzelfde ruiken: Chanel No. 5 op manchet en kraag.

'Ja?' vraagt Barbara.

'Ik ben het, Louise!' Louise Cooper staat ergens te roepen; ze hoort niet bij onze kring, maar dat zou ze wel graag willen. Ze heeft ongetwijfeld een offergave bij zich.

'Louise!' zegt Barbara, terwijl ze opstaat en haar sigaret uitdrukt. Ze klikt naar de hal en komt terug met die arme Louise, met een buik als een toeter en een zwangerschapsmasker. Dat is een vervelende aandoening, zegt dr. Spock, het komt betrekkelijk vaak voor en is natuurlijk onschuldig, wat niet wegneemt dat het gênant is voor de draagster – het pigment van de huid om de ogen en over de neusbrug wordt donkerder, tot het bijna zwart is. De arme Louise, die achter Barbara komt binnenwaggelen, ziet eruit als een opgeblazen wild dier; haar offergave, zien we, is verpakt in aluminiumfolie.

'Louise!' roepen we.

'Kijk ze nou toch!' roept ze als ze onze dochters ontdekt. 'Wat schattig!'

'We hebben een fotosessie achter de rug!' zegt Barbara, terwijl ze het ingepakte bord voor ons neerzet en de folie er met een groots gebaar af rolt. We drukken onze sigaretten uit en tasten toe.

'Wat enig!' zegt Louise. Ze gaat log zitten en glimlacht, en wij glimlachen terug, met een verwrongen glimlach door onze volle mond. Het is moeilijk om haar recht in de ogen te kijken; haar huid is niet alleen donkerder geworden, maar ook vlekkerig: Louise ziet er anders altijd zo appetijtelijk uit. Zij trok vroeger altijd de meeste aandacht van onze mannen; ze is van Ierse afkomst of zoiets buitensporig gezonds, en haar backhand is niet te verslaan.

'Het laatste nieuws is dat ik ontsluiting heb,' zegt ze. 'Dr. Wells gelooft dat het nu ieder moment kan komen.'

'Dr. Wells kan zijn kont niet van zijn elleboog onderscheiden. Hij kon zowat zijn hele vuist naar binnen steken en Anne bleef nog wekenlang zitten,' antwoordt Canoe.

'Ik herinner me helemaal niets,' zegt Mimi Klondike. 'Hoe is het mogelijk dat jullie er nog iets van weten?'

'De natuur wil dat wij het vergeten,' zegt Judy Sawyer, die zelf geen kinderen kan krijgen.

'Wie?' vraagt Barbara.

'De natuur,' zegt Judy.

'De natuur?' vraagt Barbara. 'Ik herinner me *alles*. Charlie zei dat hij me helemaal beneden in de hal kon horen. Hij vluchtte naar de parkeerplaats; hij kon mijn geschreeuw niet aanhoren. De dingen die ik zei! Ze geven je het waarheidsserum. Ik zei tegen dr. Wells dat hij eruitzag als Mickey Mouse en dat de zuster eruitzag als Dopey.'

'O, lieverd,' zegt Canoe, en ze wendt zich weer tot Louise. 'Het wordt een makkie!'

'En ik zie eruit!' zegt Louise Cooper. We eten van de koekjes. Er zit een smaakje aan – whisky? We halen onze schouders op.

'Je kunt het bijna niet zien,' zegt Mimi kauwend.

'De moeder van Henry zegt dat het te maken heeft met mijn afkomst. Iets met de Ieren,' zegt Louise Cooper.

'De dieren?' vraagt Judy.

'Ze zegt dat ze nog nooit iemand heeft meegemaakt die het zo erg had,' zegt Louise.

'Zeg haar dat ze aan het gas gaat hangen,' zegt Canoe.

Louise glimlacht en wrijft met de rug van haar hand over haar ogen, en even hopen we dat ze het zal wegvegen, dat het zwangerschapsmasker als bij toverslag verdwenen zal zijn wanneer ze haar hand weer in haar schoot legt, maar het is er nog steeds, het lijkt wel een tatoeage, en vreemd genoeg kunnen we ons niet meer voorstellen hoe Louise eruitziet zonder dat masker.

Het is pompoensoep, dat is de verrassing. Pompoen! Een recept dat Barbara heeft gevonden in de huishoudelijke bijlage van vorige zondag, die gewijd was aan typische herfstgerechten. Doe de pompoenpitten erbij, stond er. Pompoenpitten in de sla, pompoenpitten in de soep, in je geurige gebraden vleesschotels. Pompoenpitten doen denken aan de oogst, die op zijn beurt weer doet denken aan de lente, de geboorte. We kijken naar onze dochtertjes op de keukenvloer, en eten glimlachend van de koekjes; de meisjes zijn bijzonder mooi. Misschien zijn we daarom niet echt verbaasd wanneer de fotograaf opnieuw verschijnt. Hij vond het ongetwijfeld moeilijk om ons en de baby's te verlaten; dit hele gelukkige tafereel.

Maar nee hoor, zegt hij. Hij is iets vergeten. Hij staat midden in Barbara's keuken en ruikt vaag naar het buitenland. Hij heeft het statief en de grote zwarte doos niet bij zich, en we zien nu dat hij een fluwelen vest vol met roos aanheeft;

er zit iets zwaars aan een ketting in zijn borstzakje, een fiool met opium, misschien – hij is een kunstenaar! – of een zakhorloge met de initialen van zijn overgrootvader.

'Kunnen we u helpen zoeken?' vraagt Barbara, hoewel hij zo te zien geen idee heeft wat hij zoekt. Hij staat als aan de grond genageld tussen de zonnebloemen en de windmolens – het zijn er honderden –, dodelijk getroffen door Louise Cooper.

'Kunnen we u helpen zoeken?' herhaalt Barbara.

'Wat?' vraagt hij, zich losscheurend.

'Dat ding.'

'O,' zegt hij. 'Daar,' zegt hij, wijzend op een ding op Barbara's aanrecht, dat eruitziet als een blikopener. 'Mijn lichtmeter.' Hij maakt geen aanstalten om in beweging te komen, en dan kijkt Louise op, misschien voelt ze zijn aandacht.

'Is dat echt, eigenlijk?' vraagt hij.

'Wat?' vraagt ze.

'Dat,' zegt hij, terwijl hij zijn neus aanraakt.

'O,' zegt ze, terwijl haar hand omhoogvliegt naar haar masker, en voorzichtig haar huid aanraakt alsof ze bang is dat ze haar vingertoppen zal bevlekken. 'Ja. Helaas wel.'

'Ik heb er nog nooit een gezien,' zegt hij.

'Ze zijn zeldzaam,' zegt ze. 'Maar niet zó. Een op de paar honderd.'

Ze legt haar hand weer in haar schoot, of waar haar schoot zou zijn als het kind er niet was; inmiddels weten we er wel iets van: hoe de baby zijn plaats heeft ingenomen om zich voor te bereiden op de geboorte, hoe zijn kleine handjes en armpjes voor het eerst verschenen als knoppen, hoe zijn longen, hart en ruggengraat eerst buiten zijn huid zaten en daarna naar binnen zijn gevouwen, als een ontwikkeling in omgekeerde volgorde. Er kan zoveel gebeuren! Het leven is zo teer! We hebben hier boeken over gelezen, urenlang naar de foto's gekeken. Het blijft fascineren. Zelfs nu zouden we onze hoofden op Louise Coopers buik willen leggen om de hartslag van de baby te voelen, en zijn elleboogje of knietje langs haar huid te zien glijden. Het is zoiets prachtigs! Het is goed om daaraan herinnerd te worden. Een tabula rasa noemt Esther Curran het, hoewel ze in geen miljoen jaar een baby zou willen hebben. Zij zijn jullie lege schildersdoeken. Onze kleine kapiteins, zouden we tegen haar kunnen zeggen, die onze koers verder zullen bepalen.

'Heb je er bezwaar tegen?' vraagt de fotograaf, maar we hebben niet gehoord tegen wat.

'Ik denk het niet,' zegt Louise. 'Als de anderen het niet erg vinden.'

'Erg vinden?' wil Judy Sawyer weten.

'Hij wil foto's van mij maken,' zegt ze.

'Wie?' vraagt Barbara, maar de fotograaf is al naar buiten geglipt en haast zich over het pompoenenpad naar zijn Ford, waar zijn apparatuur ongetwijfeld klaarligt.

De fotograaf trekt een van Barbara's barkrukken naar het midden van de keuken; de baby's zijn eindelijk diep in slaap, of rustiger, en liggen tussen de kussens van de bank in de zitkuil genesteld. Waar wij staan kunnen we ze gemakkelijk horen. De fotograaf vraagt aan Louise of ze op de kruk wil gaan zitten, wat ze onhandig doet, met één voet op een van de spijlen. Nu houdt hij de lichtmeter in allerlei standen, terwijl hij de barkruk draait en Louise telkens in een andere houding zet. Louise doet er niet moeilijk over; ze is een Ierse, tenslotte. Op zijn verzoek heeft ze haar schoenen en oorbellen uitgedaan, en een oude badjas van Barbara aangetrokken. Hij heeft haar gevraagd om haar opgestoken haar los te maken, een beeldschone kleur rood uit een flesje.

'Iets omlaag...' zegt de fotograaf.

'Zo?' vraagt Louise, terwijl ze opkijkt.

'Omlaag, kin omlaag,' zegt hij. 'Ik wil je ogen zien.'

Louises ogen, dat zouden wij kunnen beamen, zijn het mooiste wat ze heeft. Normaal accentueert ze die met lichtgroene oogschaduw, maar nu zien ze eruit alsof ze met teer zijn ingewreven. Louise ziet eruit als een dier, dat gevangen zit in een diep hol.

'Prachtig,' zegt de fotograaf.

'Niet glimlachen,' zegt hij.

Er is bijna een uur verstreken. De meisjes huilen in de andere kamer, maar we hebben ze gevoed en verschoond, en dr. Spock raadt ons sterk aan om de natuurlijke drang tot knuffelen te weerstaan als in alle noodzakelijke, elementaire behoeften is voorzien.

Louise zit met haar knieën opgetrokken en haar armen om haar benen geslagen: ze heeft haar hoofd schuin gehouden naar de ene kant, en naar de andere kant, en geglimlacht of juist niet. Op een gegeven moment wilde hij haar haren over haar gezicht. Barbara stelde voor om ons nieuwe lievelingsdrankje te maken: punch van whisky, en we hebben een volle kan gemaakt en geleegd. In de zitkamer zitten er vier te bridgen. Het lijkt alsof we nog op school zitten, in onze zitkamers, of op de club, in de conversatiezaal voor oude bessen. Het is donkerder geworden, of misschien is de dag gewoon verstreken zoals de dagen tegenwoordig verstrijken – wij met z'n allen bij elkaar, niet echt uit kameraadschap of diep respect, maar omdat we in hetzelfde schuitje zitten.

Buiten Barbara's ramen steken de overgebleven platanenbladeren helder, zelfs glanzend af tegen het halfdonker, en zo nu en dan ploft er een walnoot op het dak, die de concentratie van de fotograaf verstoort. Hij probeert zich te concentreren, heeft hij tegen ons gezegd; hij probeert de vorm te vinden.

'Ik zou zeggen dat die vorm overduidelijk is,' zegt Canoe.

De fotograaf wendt zich tot Canoe. Wie weet heeft hij glanzende ogen, maar dat kan je toch niet zien achter die brillenglazen? Net zo dik als die van Buddy Holly, bijziend. Zijn handen houden het bandje van de camera om zijn hals vast en zijn te bleek, dat kunnen we van hieruit zien, zacht en zonder haar.

'Kunnen jullie iets doen aan dat gehuil?' vraagt hij.

'Welk gehuil?' vraagt Canoe. Zij heeft Spock onder de knie. Ze is zijn grootste fan. Vraag haar wat je wilt en ze vertelt je precies waar – in de wereld volgens Spock – je het antwoord kunt vinden.

De fotograaf knippert met zijn ogen en wendt zich weer tot Louise, met opgetrokken schouders.

'Hoe oud ben je?' vraagt hij aan haar.

'Drieëntwintig,' antwoordt ze. 'Net geworden.'

'Is dit je eerste kind?' vraagt hij. Hij neemt foto's terwijl hij haar ondervraagt, en hij heeft ergens een kleinere camera opgediept, zodat hij kan lopen terwijl hij praat.

'Natuurlijk,' zegt Louise lachend.

‘Zit stil, mevrouw Cooper,’ zegt hij, en ze veert overeind; gek genoeg is ze niet gewend aan die naam, hoewel ze hem zo vaak gehoord heeft. Ze ziet iedere keer de moeder van Henry voor zich, een prikkelbare kribbekat die Moeder Cooper genoemd wordt.

‘Is je man blij?’

‘Mijn man?’ vraagt Louise.

‘Ik neem aan dat je een man hebt,’ zegt hij.

‘Henry,’ zegt ze.

‘Is Henry blij?’ vraagt hij weer.

Louises gezicht verstart alsof hij haar dat gevraagd heeft, maar ze kijkt ongemakkelijk, en wij kunnen ons niet voorstellen dat dit mooie foto’s gaat opleveren.

‘Ik heb er nooit naar gevraagd,’ zegt ze. ‘Ik neem aan van wel. Ja.’

‘Ben je hier geboren?’

‘O god, nee. Ik kom uit Detroit.’

‘Zat je vader in de auto-industrie?’

‘Allebei mijn ouders.’

‘Een werkende moeder, dus.’

‘Haar hele leven.’

‘Zwaar voor een kind.’

‘Ik ben erdoorheen gekomen.’

‘Broers en zusters?’

‘Twee broers.’

‘Arbeiders in de auto-industrie?’

‘Een. De andere is omgekomen in Frankrijk.’

De fotograaf gaat staan – hij zat eerst op een knie – en zet zijn bril af. Hij poetst zijn bril met iets wat eruitziet als een zakdoek, die hij terugstopt in zijn zak. Wij kijken toe, hij is ons vergeten; we wisten niets over Louise Coopers verleden, of over het verleden van wie dan ook. We kijken altijd vooruit, we praten over dingen in het heden: het werk van onze mannen, de slaapritmes van onze baby's.

De fotograaf gaat op zijn hurken zitten.

'Gaven jullie veel om elkaar?' vraagt hij.

'Wie?'

'Jij en je broer,' zegt hij.

'O god, wie zal het zeggen? Hij was mijn grote broer,' zegt Louise.

Ze trekt een hoek van de badjas over haar knie; wat voor stof het ook is, er ligt een glans over en hij glijdt steeds van haar benen.

'Devon,' zegt ze.

'Wat?'

'Dat was het plaatsje. Ergens in Zuid-Frankrijk. Ik heb er altijd naartoe willen gaan,' zegt ze. 'Maar Henry houdt niet van Frans eten.'

'Je ouders?'

'Ja?'

'Zijn ze hier blij mee?'

'Waarmee?'

'Je leven met Harry.'

'Henry.'

'De baby,' zegt hij.

'Ik denk van wel.'

'Je denkt?'

'Ik hoor nooit iets van ze.'

'Nee, allicht niet.'

'Pardon?' vraagt Louise.

'Niets,' zegt de fotograaf. 'Ik begin een beeld van het geheel te krijgen.'

Ze kijkt hem aan. 'Mag ik een sigaret?'

'Komt voor elkaar,' zegt hij, en hij staat op. Hij grijpt in zijn vestzak en haalt er één sigaret uit, die hij aansteekt en aan Louise geeft.

'Het was mijn vader die mij op de trein naar Chicago zette,' zegt ze, terwijl ze rookt. 'Ik was zeventien jaar. Ik geloof niet dat hij enig idee had waar ik heen ging, maar ik zei dat ik een kaartje had en naar het station moest, en hij reed alsof de duivel hem op de hielen zat.' Ze lacht en de rook kringelt omhoog langs haar gezicht. 'Hij zei: "Veel geluk, schatje," en hield de deur voor me open, het deurtje naar mijn coupé. Hij zei: "Laat ze maar 'ns wat zien."'

'Wie moest je wat laten zien?' vraagt hij. Hij zit met gekruiste benen op het linoleum met zijn camera in zijn handen.

'Ik heb geen idee,' zegt Louise Cooper.

Er is een spookuur, zoals iedere moeder weet. De meisjes hebben hun fles gekregen, maar ze zijn uit hun doen. We houden ze vast en wiegen ze, en kloppen ze op hun rug. Op iedere andere dag zou dit het moment zijn om te vertrekken, om terug te keren naar onze eigen huizen, niet ver hiervandaan, met hetzelfde soort oprijlanen, tussen bomen, op gemaaide grasvelden. We zouden onze dochters een bad geven, zoals dr. Spock aanraadt – Martha's hebben regelmaat nodig – en wachten tot zes uur, wanneer onze mannen collectief terugkeren uit de loopgraven. We noemen het de loopgraven terwijl we ze een drankje aanreiken. Dit is ons grapje, en dat van hen, en het maakt ons altijd aan het lachen.

Hoe was het in de loopgraven? vragen we, tegen beter weten in. We weten dat ze aan grote bureaus zitten, hier ver vandaan, of op hun beurt wachten in een restaurant om te lunchen – een gegrilde biefstuk en een martini, of een gin-tonic. Meestal komen ze thuis in een goed humeur, ze hebben een werkdag achter de rug en een avond thuis voor de boeg. In die stemming houden ze de baby vast, terwijl wij de laatste hand leggen aan het eten en de tafel dekken.

Maar vandaag gaan we niet weg: vandaag blijven we de hele dag bij Barbara, en vergeten de tijd. We staan met onze dochters op de arm uit de weg van de fotograaf, een eindje uit de buurt van Louise. Op verzoek van de fotograaf hebben wij onszelf onzichtbaar gemaakt; het enige wat je hoort is het geluid van de huilende baby's.

Louise zit in Barbara's badjas met een rits, en een paar slippers van Barbara aan haar voeten. Ze is verhuisd naar een iets gemakkelijkere stoel, hoewel ze nog steeds in de keuken zit, met het lege bord naast zich, bezaaid met kruimels en sigarettenpeuken. Een vertrouwde haan tikt aan de muur, de elektrische minutenwijzer draait langzaam rond; ieder uur zegt hij kukeleku. De fotograaf wacht tot het afgelopen is en hervat zijn gesprek.

'En dat was toen je wegging bij Danny,' zegt hij.

'Henry bood meer mogelijkheden,' zegt Louise. 'Ik had er genoeg van om een democraat te zijn.' Ze heeft het gehad over iemand anders, iemand uit haar Vroegere Leven in Detroit, een jongen die langer was dan Henry, stellen wij ons voor, en veel knapper. Wij zien iemand voor ons met een zwierige hoed en werkmanskleren; zijn handen zijn mooi, hoewel ze vuurrood zijn van de kou in die winters. We stellen ons Louise en Danny voor in een schuur, achter een omgeploegd veld dat bezaaid is met roestende autowrakken – nauwelijks zichtbaar, als halfbegraven schatten. Ze zijn binnen of buiten, dat doet er niet toe, en ze zoenen als bezetenen, Danny heeft zijn mooie handen op Louises schouders, Louises ogen zijn dicht of misschien open, verbaasd over datgene waarin ze heeft toegestemd, of wat ze met tegenzin heeft geweigerd. Beide dingen zijn mogelijk; wij zijn ons maar al te goed bewust van Louises reputatie.

'Wat jammer,' zegt de fotograaf; hij laadt zijn camera opnieuw.

'In bepaalde kringen,' zegt Louise.

'Heb je nog contact met hem?'

'Mm-mm?' Louise verzamelt de kruimels met een natte vinger.

'Met Danny?'

'O god, nee. Danny?' vraagt ze. 'Hij is jaren geleden verdwenen. Omgekomen in Korea, blijkbaar. Hebben we het nog steeds over Danny?'

Het is donker geworden in Barbara's keuken, en de fotograaf heeft allerlei apparatuur opgesteld en lampen vastgeklemd aan het pannenrek. In het felle licht zien Louises ogen eruit alsof ze witgeverfd zijn. Ze staart met wijdopen ogen naar boven vanuit het diepst van haar hol. Wie kan zeggen wanneer dit dier gevangen zal worden? Of het op de een of andere manier dichterbij gelokt kan worden? Zo nu en dan knippert het langzaam met de ogen. Misschien gelooft het niet dat het bijna in de val zit. 'Ga eens een beetje naar links, liefje,' zegt de fotograaf. 'En doe dan je rits open.'

'Hmm?' vraagt Louise, en ze wendt zich af van de restjes op het bord, ze is een zwerfdier.

'De badjas, schatje. Een klein beetje maar.'

Louise kijkt naar ons, maar ze zou net zo goed op een podium kunnen zitten; de lichten zijn verblindend. Kan ze ons zien, van daaruit? Herkent ze ons als haar vriendinnen, haar landgenoten, aan de andere kant?

De fotograaf loopt naar haar toe, maar Louise heeft de rits al te pakken, de badjas is gedeeltelijk van haar schouders gegleden. Haar borsten zijn enorm, haar tepels zijn donker, net als haar masker. Dat is het eerste. Het volgende is een streep haar die bij haar navel begint. Zijn we allemaal zo donker geworden? Verkleurd en opgeblazen vóórdat we in tweeën spleten? We kunnen ons moeilijk herinneren wie we vroeger waren; moeders lijden uit vrije wil aan geheugenverlies, zegt dr. Spock. Zo werkt de natuur. Toch zien we iets wat we ooit zijn kwijtgeraakt, iets wat vertrouwd aandoet, terwijl we onze onrustige baby's vasthouden.

De fotograaf moedigt haar fluisterend aan. 'Louisie,' zegt hij. 'Liefste, Louisie,' zegt hij, terwijl hij om haar heen loopt. 'Ja, lieveling,' zegt hij, 'zo is het goed,' terwijl Louise zwijgt en heel ergens anders is – in Danny's armen? In vliegende vaart op weg naar de trein met haar vader, bang om iets te missen – wat? Haar bestemming? Ze buigt haar hoofd zo ver naar achteren dat je het zwarte zwangerschapsmasker niet meer kunt zien, alleen het schitterende wit van haar hals en het flitslicht dat de fotograaf gebruikt om haar keer op keer uit te wissen. Onze ogen moeten zich telkens weer aanpassen. Waar zijn we nu? Wie is dat daar voor ons? O ja, Louise Cooper die klaarstaat op het beginpunt van onze prachtige reis, zoals Spock het noemt, onze goede, rechtmatige bestemming.

Daarna valt de badjas, al dan niet per ongeluk, helemaal van Louises schouders, en zij verdwijnt achter haar enorme buik, waar we onze ogen niet van af kunnen houden, tot wij hetzelfde zien wat zij moet voelen: het water dat langs Louises benen naar beneden sijpelt en een plas vormt op Barbara's linoleumvloer. Louise snakt naar adem en veert omhoog, haar handen grijpen de plaats waar het pijn doet, haar ogen midden in haar masker zijn wijd opengesperd, doodsbang.

'Ik kreeg het idee onder de douche,' verkondigt Canoe. 'In een notendop: hoeden. Meisjes met hoeden met golvende randen.' Zij zag een rij meisjes voor zich, zegt ze, in een rechte lijn, zoals de Rockettes, alleen niet met zulke blote benen. 'Ik bedoel eigenlijk een parade,' zegt ze. 'Een soort wedstrijd.'

We kijken van Canoe naar de meisjes, die voor de lange tafel staan en van het ene veulenbeen op het andere wiebelen. Dan kijken we weer naar Canoe. De hoeden, acht in totaal, heeft zij op haar hoofd gestapeld, ze passen in elkaar. Het zijn gewone strooien hoeden, die je in de uitverkoopbak kunt vinden. Ze heeft ze gekocht bij Fleishmann, heeft ze ons verteld – een winkel die we goed kennen, waar al een paar maanden een kromgetrokken bord met OPHEFFINGSUITVERKOOP voor het raam staat, tussen de stoffige chocolade paashazen en de kuikentjes van suikergoed. Hier kochten we vorige herfst het materiaal voor onze eigen projecten: garens in felle kleuren, een quiltring, of een lijmpistool. We stonden op het beginpunt van een nieuwe fase, zei Canoe, een verandering van het paradigma. Dat gebeurde vaak na je dertigste of na je veertigste, zei ze tegen ons. In een uitbarsting van vlammen verscheen de creativiteit. Ze kende hier talloze verhalen over. De toekomst zag er rooskleurig uit!

Hoe dan ook, de winkel van Fleishmann bood een handenarbeidcursus aan, en als wij meededen zou zij de leiding nemen, zei Canoe. We zouden les krijgen van Jean Weiss, de eigenaar van de Brush & Palette, die die cursus blijkbaar gaf in ruil voor een dagelijks broodje gezond en een portie friet.

Die dagen in de herfst, die *laatste gouden* dagen, herinnert Canoe zich, zaten we aan een vergadertafel vlak bij de lunchbar; de geur: hamburgers met gebakken uien, het geluid: lepeltjes in koffiekopjes. De lunchbar zat vol met klanten die we herkend zouden hebben als we de moeite hadden genomen, maar dat deden we niet. We waren goede leerlingen. De beste die je kon wensen, zei Jean Weiss achteraf. Die dagen, die *laatste gouden* dagen, scheen de zon op een speciale manier door het grote voorraam van de winkel; de hoofdstraat was levendig, het tinkelende belletje aan de klapdeuren suggereerde bedrijvigheid en handel, een leven dat in zekere zin geleefd werd. Het idee van Canoe was aangeslagen; ieder van ons hoopte dat Jean onder de indruk zou raken van ons werk. Ze zou ons een speciale tentoonstelling aanbieden bij de Brush & Palette, die we vaak hadden bezocht voor de exposities van Esther: eerst een verzameling vage, verwrongen stillevens, die eruitzagen alsof we door de bril van een vreemde keken, later een selectie uit de middenperiode, zoals zij het noemde, van monochrome schilderijen: oranje, blauw, rood – experimenten in het Niets, zei ze. (De schoonmoeder van Esther, Sydney, was onlangs teruggekeerd van een eiland in de Filippijnen en had haar kennelijk ingewijd in de leer van Boeddha.) Esthers laatste expositie, die Jean na haar dood had samengesteld uit de overblijfselen in haar atelier, was duidelijk beïnvloed door de abstract expressionisten uit New York en de Chicago School, althans, dat schreef Jean in de ‘Aantekeningen van Jean’, een folder die op de plantenbak naast de voordeur lag. Ondanks die aantekeningen konden we er geen touw aan vastknopen: het zag eruit alsof Esther alle rotzooi die zich in de geulen van haar lange oprijlaan had verzameld in de winters na Walters dood had opgeraapt en die zonder meer had vastgeplakt op lege schildersdoeken. Het leken er wel honderden, gigantisch groot en piepklein. Ze bedekten de muren, lagen uitgerold over de vloer – overal waar je keek zag je puin. Een paar doeken waren bespoten met verf, verschillende tinten bruin, zwart en wit, en daar stonden wij omheen. ‘In latere jaren had ze geen zin meer in kleur,’ las Gay Burt voor uit de ‘Aantekeningen van Jean’, en dat riep het beeld op van Esther als jonge vrouw die de kleuren opschrokte, haar mond en handen besmeurd met geel en blauw.

Canoe schraapt haar keel. Waar het om gaat is de expressie, zegt ze. Je moet uitdrukken wat je vanbinnen voelt.

We kijken naar onze dochters die netjes in het gelid staan, hoewel Anne, Canoes eigen dochter, naar beneden kijkt alsof ze een penny op de grond ziet liggen, rood van schaamte voor haar moeder – met acht hoeden op haar hoofd – tegenover haar vriendinnen, of van opwinding over haar verjaardagsfeestje. Wie zal het zeggen? Anne staart naar haar schoenen: afschuwelijke plastic bandjes op plateauzolen van kurk. Onze dochters dragen ze ook, en jassen van konijnenbont met felgekleurde zijden voeringen, die ze gekocht hebben in het winkelcentrum, waar ze ’s zaterdags met elkaar afspreken en urenlang rondlopen, als spoken in het kunstlicht. Wat zij vanbinnen voelen? Wie zou dat in godsnaam weten?

Maar hier schijnt de zon! Er staat een fris windje, in één woord een schitterende dag. De meeste krokussen zijn al uitgebloeid, maar de seringen zijn pas gesnoeid en staan in bloei, ieder paars bloemblaadje zo groot als een zaadje, waanzinnig sterk geurend. (Op verzoek van Canoe hebben we de takken verzameld en steel voor steel in de voederemmers van Annes paard laten vallen. En forsythia ook, en de narcissen die tegen wil en dank zijn opgeschoten tussen de flagstones op de trap naar Canoes zwembad. Mimi Klondike heeft per ongeluk een iris geplukt.) Alles is mogelijk, zelfs onze dochters met zelfgemaakte hoeden, die in Canoes Ford Woody over de oprijlaan naar de stad racen, naar de hoofdstraat, zegt ze, naar de Brush & Palette om precies te zijn, waar we aan Jean zullen vragen wie de mooiste is in het hele land, omdat niemand van ons zou kunnen kiezen, aangezien wij moeders zijn, en zij onze dochters.

'Je wilt dat wij een hoed opzetten?' vraagt Lizzie Cooper.

'Ja,' antwoordt Canoe. 'Die je zelf gemaakt hebt,' zegt ze. 'Zoals je maar wilt. Ik heb versierselen gekocht. Het wordt enig!' Ze wijst naar de uitgestalde schalen met lovertjes, veren en kunstbloemen; er liggen ook stapels vrouwentijdschriften, stiften, scharen en lijm.

Lizzie haalt haar schouders op en gaat zitten op een van de klapstoelen rond de tafel. De andere meisjes gaan naast haar zitten. Megan lacht. 'Wat is er?' vraagt Katie Klondike. 'Straks,' zegt Megan.

Het is een kwestie van een paar jaar en dan zijn ze weg, maar nu zijn ze twaalf, of bijna. Hun benen zijn uitgegroeid en ze hebben haar op hun armen en Megan, Barbara's oudste, is al ongesteld geworden.

Om je de waarheid te zeggen zijn we doodsbang voor hen.

Dat weten ze, hoewel ze hun tijd afwachten. Met lieve woordjes verwerven ze materiële goederen: tweekleurige schoenen, cheerleaderrokjes en eigen telefoonlijnen waarmee ze jongens bellen die we nog nooit hebben gezien. Wat is de tijd voorbijgevlogen enzovoort, enzovoort, en nee, we zouden het niet willen overdoen – het meeste niet, althans. Die dagen in de sneeuw, misschien. De meisjes op sleeën met wanten aan. Rozige wangen. In de verte klinken de slebebelletjes, aan de dennenbomen hangen lichtjes, terwijl de meisjes Toboggan Hill af suizen, en onze honden blaffend met grote sprongen achter hen aan rennen. In de schemering daalt een winterstilte op ons neer, de meisjes vegen zichzelf schoon als een zwaarbeladen boeg van een slee een armvol sneeuw heeft laten vallen, er zijn kardinaalvinken bij de voedertafel.

Of misschien was het alleen zo in onze herinnering; de meisjes zeggen dat ze het ijskoud hadden en dat wij er te snel tussenuit knepen om sigaretten te roken in de keuken.

We trekken ons terug aan de rand van het zwembad om de meisjes te laten werken. Canoe biedt ons wijn aan, want ze heeft een quiche in de oven, en het is plotseling ineens fris, hoewel de zon schijnt. 'Hoe die meisjes het uithouden op sandalen is mij een raadsel,' zegt Canoe.

'Hoe dan ook,' zegt ze, 'ik ben uitgedroogd vanbinnen. Ik heb een hartversterkertje nodig. En een vuurtje.'

We houden haar gezelschap, en wuiven de rook weg van

onze gezichten. We horen gelach boven aan de heuvel en stellen ons voor dat de meisjes aan het knippen en plakken zijn, hoewel ze waarschijnlijk over ons praten, en stiekem hun eigen sigaretten roken. Ze knijpen hun ogen dicht tegen de rook, ze hebben roze oogschaduw, die ze bij de Dollar Store in het winkelcentrum hebben gekocht; wit in de plooi van hun ooglid en bruin met glitter vlak onder hun dunne geëpileerde wenkbrauwen. Afschuwelijk lelijk weliswaar, maar wie houdt ze tegen? Het is alsof ze worden aangedreven door een onzichtbare kracht, een of andere middelpuntvliedende magneet, een zware ijzeren bal in de aardkorst. Ze zouden nu liever door het winkelcentrum lopen, popcorn met karamel uit vettige papieren zakken eten en een Orange Julius-shake drinken. Wat ze vanbinnen voelen? We hebben geen flauw idee, we weten het in feite al jaren niet meer, niet sinds hun geschaafde knieën en splinters. Of die keer dat de anderen tegen hen samenspanden, en zij bij ons op schoot kwamen uithuilen. Dat herinneren we ons als de dag van gisteren: we voelden een knoop in onze maag van verdriet omdat ze buitengesloten werden. Wat zouden we niet doen om hen te troosten, we streken de vochtige krullen weg van hun voorhoofd en verhitte wangen, kusten de knokkels van hun vingertjes; zij waren de enigen van wie wij hielden, deze zachte wezens, die zo kwetsbaar waren. We noemden ze bij hun koosnaampjes en gaven ze ijs in kommetjes met circusfiguren.

Maar dat was toen ze nog kinderen waren; nu zijn ze iets heel anders.

'Ik heb tegen haar gezegd dat ze in haar tienerjaren mag doen wat ze wil,' zegt Canoe. Blijkbaar had Anne haar gesmeekt om een feest te mogen geven op de rolschaatsbaan, net als Katie Klondike vorige maand. We leverden de meisjes af bij de hoofdingang en haalden hen een paar uur later op, met kleren die naar rook stonken – die van ons of die van hen? – en ogen die te sterk schitterden.

'Toen ik zo oud was als zij, wilde ik niets liever dan een feestje als dit. Dat verhaal over inspiratie in de douche was flauwekul. Ik probeerde de troepen te mobiliseren.'

Ze neemt een lange haal van haar sigaret en knijpt haar ogen dicht. Ze is heel blank, Canoe, ze heeft zoveel sproeten dat het lijkt alsof ze verveld is. Zij is altijd de atleet van de groep geweest – ze kan de bal tweehonderd meter ver meppen.

'Ik had dit idee voor mijn twaalfde verjaardag; ik wilde hoeden maken met al mijn vriendinnen, en een hoedenshow geven. Een buitenstaander zou kiezen welke hoed de mooiste was, en natuurlijk zou dat de mijne zijn, aangezien de dag van mij was en, toentertijd, de wereld.'

'Op een bord,' zegt ze glimlachend. 'Van Wedgwood-porselein.'

'En?' vraagt Mimi Klondike.

'Hmm?' vraagt Canoe.

'Kreeg je je zin?'

'O god, mijn zin? Mijn moeder had de club al besproken. Een theepartij. Witte handschoenen, witte sokjes. De jongens verstopten zich op de wc, dus we moesten met elkaar dansen. Ik werd opgescheept met Missy Wentworth, die bijna twee meter lang was en een en al voeten, ze kon niet leiden of volgen. Mijn tenen waren wekenlang bont en blauw.'

'Ik heb het Moeder nooit vergeven. Zat in mijn kamer en

knipperde urenlang met mijn ogen. Dat was een gewoonte van me. Daar werd ze knettergek van.'

'MOE-DER!' De stem van Anne, boven aan de heuvel.

'Ik moet aantreden,' zegt Canoe, en ze drukt haar sigaret uit onder haar platte schoen. We kijken haar na als ze de flagstonetrap op rent, we zien dat de geappliqueerde zigzagrand bij de zoom van haar wikkelrok onregelmatig is, en denken terug aan onze eigen mislukte pogingen, ondanks het feit dat Jean Weiss ons aanmoedigde, dat moeten wij haar nageven.

'Dames,' zei ze. Dat was Jean, de eerste dag, toen we klaar waren met een rondje om de tafel om ons voor te stellen, hoewel we elkaar en Jean al jaren kenden. We hadden Jean leren kennen via Esther, op een van de feesten van Esther en Walter. Jean was daar samen met haar moeder, een kleine vrouw die Bettina heette, met een Pools accent sprak en gek genoeg te veel dronk, hoewel we altijd hadden gehoord dat joden niet drinken. Blijkbaar had ze daar alle reden toe: het was allemaal een groot mysterie. We kregen nooit te horen waarom ze eigenlijk hiernaartoe waren verhuisd, hoewel we wisten dat ze verstand hadden van kunst, en van plan waren om de oude schoenenwinkel van Beardsley te verbouwen tot een galerie.

'Wisten ze dat Wyeth een eindje verderop woonde?' vroegen we.

'Ja,' zeiden ze. 'Dat hadden ze gehoord.'

'Waren ze van plan om zijn werk te exposeren?'

'Daar waren ze nog niet over uit,' zeiden ze. 'Hij was misschien te figuratief naar hun smaak.'

Figuratief. Dat woord hing in de lucht op het feest van Esther en Walter, even exotisch als de geur van hasjiesj.

Daardoor voelden wij ons tegelijkertijd verfijnd en onbehouwen.

De moeder van Jean was ongeveer vijf jaar geleden gestorven, en Jean runde de Brush & Palette in haar eentje. We begrepen niets van de meeste dingen die ze exposeerde, maar we werden uitgenodigd voor de openingen en gingen zo nu en dan kijken om op de hoogte te blijven; bij die gelegenheden deden we ons best om de 'Aantekeningen van Jean' te ontcijferen.

En nu zaten we hier binnen het bereik van haar adelaarsblik, onze handen klaar om lapjes te appliqueren, met naald en draad. We zouden bij het begin beginnen, zei Jean.

'Een heel goede plek om te beginnen,' zei Canoe.

We lachten en Jean keek op.

'Uit *The Sound of Music*,' zei Bambi.

'Doos – waarop je 'n deksel doet,' zong Viv.

Jean keek weer naar haar schoot, waar drie stukjes stof lagen op de lap die ze had uitgekozen, en voorbeelden van de verschillende steken waarmee je ze kon vastzetten. 'Ik ben nooit zo dol geweest op die film,' zei ze.

En natuurlijk herinnerden wij ons pas later dat Liesl verliefd werd op die nazi.

Appliqueren, macramé, het gouden tijdperk van de keramieklessen, dat Canoe deed herleven. Dat waren die weken aan het eind van oktober, toen de inspiratie even luchtig op ons neerdaalde als de bladeren van de esdoorns langs de hoofdstraat – voordat de bomen kaal werden, en de wetten op door ziekte aangetaste bomen van kracht werden. We haalden de meisjes op van hun sportclubs met opgedroogde klei aan onze handen, we maakten schetsen op papieren servetjes, werden 's nachts met een schok wakker, met een kloppend hart. Jean haalde Mimi Klondike en Barbara over om zich te wagen aan de Negen Muzen; de gewaden van de Muzen zaten in gebarsten plooien om hun lijf. Toch bleven er een paar heel in de pottenbakkersoven en kwamen ongedeerd uit de as te voorschijn, ook al waren ze niet mooi. We stookten de oven hoog op en lieten onze handen uitdrukken wat we voelden. Dat was een uitdrukking van Jean.

Laat je handen spreken, zei Jean altijd. Laat je hart, wat je vanbinnen voelt, naar buiten komen in het werk van je handen.

En nu horen we dat Canoe de woorden van Jean herhaalt, boven aan de heuvel; de wind draagt haar stem naar beneden, waar wij zitten.

'Dames!' roept ze plotseling. 'Kom eens kijken naar deze creaties!'

We marcheren in een rij naar boven waar de meisjes zitten, de hoeden liggen als kleine bergjes voor hen op tafel. De meisjes werken gestaag door, het lijkt hen wel aardig bezig te houden, of liever: ze hebben zich erbij neergelegd dat ze het moeten afmaken; wij hebben iedere hoop op enthousiasme als zodanig laten varen; ze hebben ons een paar jaar geleden duidelijk gemaakt dat ze daar te oud voor zijn. Meer dan dit kunnen ze niet doen: een schouderophaal, een knik met het hoofd. Wij kijken toe terwijl ze knippen en plakken, en lovertjes op de golvende randen lijmen. Wij zouden ook liever ergens anders zijn, met een glas wijn in de hand.

Barbara hurkt naast de plaats waar Megan in elkaar gedoken aan tafel zit.

'Uitstekend,' zegt Barbara over Megans werk; daarna werpt ze een steelse blik naar ons.

'Megan heeft gewoon aanmoediging nodig,' zegt ze, maar dat heeft ze ons al eerder verteld: aanmoediging, zegt ze. En wilskracht. Als Megan haar haar beter zou wassen, haar babyvet zou kwijtraken. Voor Megans verjaardag heeft Barbara een halve krop sla in een taartdoos gestopt, en roze kaarsjes tussen de geplooide bladeren gestoken.

'Kijk eens naar die plaatjes!' roept Barbara. 'Kijk eens wat ze heeft gevonden in de tijdschriften!'

Megan strijkt haar pony weg van haar voorhoofd en staart naar ons, en dan naar haar moeder, op wie ze griezelig veel lijkt, ondanks haar omvang. Ze heeft allerlei foto's slordig uit de tijdschriften geknipt en op het stro geplakt, de plaatjes zijn bobbelig, ze heeft veel te veel lijm gebruikt, en op elke foto staat een model in een badpak.

'Ben je niet trots op jezelf?' vraagt Barbara; wij herkennen dit als je reinste Spock: Wees niet trots op hen, zegt hij, zeg tegen hen dat ze trots moeten zijn op zichzelf. Megan negeert Barbara en keert terug naar haar geplunderde *Glamour*.

'Kijk, mammie,' zegt Linda.

Suzie klapt in haar handen. 'Dat doet me denken aan die dingen die de koningin-moeder altijd opheeft.'

'Maar ik heb het gemaakt,' zegt Linda, en ze duwt met de rug van haar hand tegen haar kattenogenkleurige bril.

'En of ik dat weet,' zegt Suzie.

Linda kijkt Suzie aan, met enorme ogen achter het dikke glas.

'Ze zijn allemaal mooi,' roept Canoe, te hard. 'Bravo!'

'Bravo!' zegt Mimi Klondike.

'Doe me een lol,' zegt Katie Klondike.

'Wat bedoel je, doe me een lol?'
'Ik bedoel, kijk eens naar de mijne,' zegt Katie.
'Het is een kunstwerk,' antwoordt Mimi.
'Het is een stuk shit,' zegt Katie.
De andere meisjes stoppen met plakken alsof ze een harde klap hebben gekregen; kennelijk heeft Katie nog steeds moeite met de scheiding.
'Nou, het is in ieder geval origineel.'
We kijken naar Katies hoed: ze heeft geprobeerd om er kunstbloemen op te lijmen, maar de stof is verfrommeld tot een onoverzichtelijke klont.
'Een origineel stuk shit,' zegt Katie.
'Jongedame...' zegt Mimi Klondike.
'Mag ik een nieuwe hoed?' vraagt Katie aan Canoe.
'Slechts één hoed per klant,' antwoordt Canoe opgewekt.
'Gelul,' zegt Katie.
'Katherine Suzanne Klondike,' zegt Mimi.
'Hè?' vraagt Katie.
'Wegwezen!' zegt Mimi.
Katie neemt alle tijd om op te staan van de lange tafel. 'Sorry, Anne,' zegt ze. 'Tot straks, Lizzie,' zegt ze; die twee zijn de grootste vriendinnen, dat weten we. Nog maar een paar jaar, dan zullen ze spiernaakt worden betrapt bij het familiegraf van de Colins; hun vriendjes – broers die de middelbare school niet hebben afgemaakt en in een jeugdgevangenis hebben gezeten wegens handel in marihuana – hebben zich verstopt tussen het aan gruzelementen geslagen glas van het mausoleum van de Colins. De agent die hen oppakt zal een rapport schrijven dat in de plaatselijke krant verschijnt, waar de woorden 'verkrachting van een minderjarige' in voorkomen.

Het vertrek van Mimi en Katie zet een tijdelijke domper op de dag, maar de wolken drijven algauw over en de vroege middagzon is bijna net zo warm als een zomerzon. De meisjes hebben aluminiumfolie over een paar hoezen uit Canoes platencollectie gespreid – we herkennen de Dave Clark Five – en zitten met opgetrokken knieën, half achterovergeleund, met hun lange benen op tafel; ze houden de glanzende hoezen vlak onder hun kin om de zonnestralen op te vangen, zodat hun gezicht bruin wordt. We hebben de wijn soldaat gemaakt, de quiche verslonden. De meisjes hebben een paar muizenhapjes gegeten van de sandwiches die Canoe hun heeft voorgezet, uitgewaaierd op een blad. Ze zijn op dieet, hebben ze uitgelegd, iets met hardgekookte eieren en bananen, maar als Canoe opnieuw verschijnt met de taart, vallen ze erop aan, en graaien vingertoppen vol glazuur, en verslinden de roze en paarse bloemen die langs de taartrand staan te bloeien. Natuurlijk is het een taart in de vorm van een hoed; Canoe kan geen weerstand bieden aan een thema, zegt ze.

Ze klapt in haar handen om onze aandacht te trekken. We zijn allemaal rozig en zouden eigenlijk het liefst in ons bed willen kruipen.

'Het is tijd!' roept Canoe. 'Dames!' roept Canoe, en ze klapt nog een keer. 'Laten we een parade houden!'

De meisjes zijn weggedroomd, maar ze kijken op, hun gezichten zijn al rood, verbrand door de zon waar ze niet aan gewend zijn, en vettig van een mengsel van babyolie en jodium.

'Wat?' wil Lizzie Cooper weten.

'Ik heb een scheidsrechter geregeld,' zegt Canoe. 'Een vakvrouw. We moeten haar niet laten wachten. Kom op!' zegt Canoe.

Wij sporen de meisjes aan om mee te komen – wat kunnen we anders doen? Ze is onze gastvrouw, onze vriendin. Ze neemt hen mee naar de oprijlaan en geeft met gebaren te kennen dat ze zich in haar Ford Woody moeten wurmen; ze wringen zich allemaal op de achterbank en in de kofferbak, met hun hoeden op hun hoofd en hun knokige knieën omhoog of dubbelgevouwen om erin te passen; ze zien eruit als een stel kraanvogels van origami.

'*Peace*!' roept Barbara als ze wegrijden; ze maakt het V-teken; haar blik is gevestigd op Megan, die onderuitgezakt op de voorstoel zit om een voor de hand liggende reden: vanwege haar dikte.

'Meggie zit beter in haar vel,' zegt Barbara, terwijl ze zich naar ons toekeert. 'Het komt wel goed met haar.'

We parkeren vlak bij de Brush & Palette, in een straat evenwijdig aan de hoofdstraat. Onze stad is niet op zijn best. De meeste winkels zijn gesneuveld door het winkelcentrum, en wanneer Fleishmann dichtgaat, zal er weinig overblijven. De meisjes vertonen zich voor geen goud met hun moeder in deze straat enzovoort, enzovoort. Desondanks lopen we achter Canoe aan – ze is altijd de meest heldhaftige van de groep geweest, zelfs als ze bezopen was – en marcheren over de stoep omhoog; onze stad staat boven op een heuvel. Waar vroeger de esdoorns groeiden staan nu lantaarnpalen, versierd met wimpels. Een spandoek met de woorden: MEIHERRIE, SOLDIER'S FIELD, 7 MEI, VAN 5 UUR 'S MIDDAGS TOT 9 UUR 'S AVONDS klappert boven het kruispunt.

Het lijkt jaren geleden dat we in dit meedogenloze daglicht buiten liepen, en we zijn niet helemaal gerust op de dingen die Canoe in petto heeft. Ze komt te voorschijn uit de Brush & Palette en loodst de meisjes de straat over naar Fleishmann – kennelijk heeft Jean haar lunchpauze. Ze houdt de voordeur wijd open om de meisjes naar binnen te laten schuifelen; wanneer we hen hebben ingehaald, zien we dat ze zich een weg banen door rollen felgekleurde stof en plastic bloemstukken, in de richting van de bar. Er zijn maar weinig klanten, en degenen die we zien herkennen we niet, behalve Jean, die in elkaar gedoken aan de bar zit. We zouden Jean overal herkennen, zelfs van achteren, en even voelen we diezelfde verwachting die we voelden in die *laatste gouden* dagen, toen we ons werk met een mengeling van trots en gêne aan haar lieten zien, terwijl we ons afvroegen of er misschien enig talent in school, dat iedereen tot dan toe over het hoofd had gezien.

Maar ze zei het nooit.

'Jean!' roept Canoe. Jean draait zich om op haar kruk. Ze is een kleine vrouw, met kortgeknipt, witgebleekt haar. Ze heeft altijd een donker wollen broekpak aan, zelfs op een warme dag als deze, en draagt de broche die haar handelsmerk is: een gouden schilderspalet, met een rij bergkristallen als verf. We hebben geruchten gehoord dat Jean vroeger in Parijs heeft gespioneerd voor de geallieerden, de minnares is geweest van Hemingway en ooit, zoals zovelen van ons, een schoonheid is geweest, maar het is moeilijk om iets over Jean te geloven, behalve het Hier en Nu: de grillbar van Fleishmann, de geur van afgewerkte olie die rondzweeft, meedrijft op de stofdeeltjes, en neerdaalt op een kluwen sjaals en truien in een kartonnen doos met het opschrift KOOPJESKELDER, aan het andere eind van de toonbank.

Wij weten alles over deze winkel; we zouden alles met

dichte ogen kunnen vinden. De goudvissen staan in de kelder bij de parkieten en de hamsters, in een hoek met het opschrift DIERENWINKEL. De keren dat wij hier geweest zijn om goudvissen te kopen zijn niet te tellen: onze dochters met betraande gezichten en hoogrode wangen beloven, nee zweren, dat ze deze keer beter hun best zullen doen; ze zullen niet vergeten om de algen uit de vissenkom te halen, de filters te verschonen, het vissenvoer zorgvuldig af te meten – *ja*, zeggen ze, *alsjeblieft*, zeggen ze, en wij kunnen geen weerstand bieden aan die kleine glimlachjes. We zouden hen overal mee naartoe nemen, alles voor hen kopen, om hun snikken niet te hoeven horen. Ja, zeggen we, het wordt tijd, het is goed, zeggen we, de oefenbeha's liggen achter de avondkleding op de lingerieafdeling, en we brengen hen naar de berg katoenen hemden en onderbroeken op de uitstaltafel, tussen de hangrekken met vleeskleurige, centimeters dikke cups. Ja, zeggen we, vooruit dan maar, hier is het, zeggen we, terwijl we voor de schoonheidssalon staan, vlak bij de afdeling IJzerwaren, de verkoopster staat klaar met een lippenstift in de aanslag, op haar jurk zit een button met de woorden: IK KAN U ALLES VERTELLEN OVER UW FACELIFT. Waar hebben we haar eerder gezien? Controleerde ze tassen bij de Safeway? Doet er niet toe. Onze dochters spelen hun rol, keren hun beeldschone gezichtjes van ons af, en tuiten hun lippen.

En Hier en Nu gaan onze meisjes in de rij staan voor de wedstrijd, de scheidsrechter laat hen koud. Het duurt niet lang meer of ze zijn weg, net als de winkel van Fleishmann, hun hele gezicht zegt: TE HUUR. Ze zouden elk leven verkiezen boven dit; ze kunnen niet wachten om genomen te worden.

'Nou, nou,' zegt Jean, terwijl ze beverig opstaat. De resten van een broodje gezond liggen op haar bord, er zit nog een bodempje koude koffie in haar kopje.

'Zijn die hoeden niet fantastisch?' vraagt Canoe. 'Ze hebben ze zelf gemaakt!'

'Dat zou ik wel zeggen,' zegt Jean.

'Ik heb de versierselen gekocht, verder was het helemaal hun idee.'

De meisjes grijnzen. Lizzie kucht.

'Wie is er jarig?' vraagt Jean.

'Hier is ze!' zegt Canoe. 'Anne!'

Anne recht haar rug alsof ze op appèl moet komen; haar hoed staat schuin op haar hoofd, ongetwijfeld om het waas van puistjes op haar voorhoofd en wangen te verbergen, of misschien om de galopperende paarden op de rand beter te laten uitkomen. Anne is altijd al lelijk geweest, een meisje als een paard zelfs voor ze leerde rijden. De pukkels hebben het er niet beter op gemaakt, en ze heeft de gewoonte ontwikkeld om op haar onderlip te bijten.

'Jij?' vraagt Jean, en ze tuurt naar Anne onder haar hoed.

'Ja, mevrouw,' zegt Anne; de meisjes in de rij gniffelen, Megan laat een minachtend gesnuif horen. Ze hangt op een van de barkrukken, de belachelijke hoed zit op haar hoofd geramd.

'Dus je houdt van paarden?' vraagt Jean.

'Ja, mevrouw,' zegt Anne.

'Wel, wel. Nou, hij is echt heel mooi,' zegt ze. 'En mijn moeder zei altijd dat goede manieren geen geld kosten.' Jean werpt een blik op de andere meisjes, die zich bij Megan hebben gevoegd; ze laten de barkrukken ronddraaien, ze zijn met hun gedachten ergens anders. Wat gaat er in hen om? We hebben geen idee en, om heel eerlijk te zijn, we willen het liever niet weten.

'Welgefeliciteerd,' zegt Jean, en schudt Annes slappe handje. 'Het is duidelijk wie de eerste prijs verdient.'

'Bravo!' roept Canoe, en klapt in haar handen. Haar hele gezicht straalt; háár kind heeft gewonnen. Jean kijkt naar Canoe.

'En nu,' zegt ze op een samenzweerderstoon tegen Anne. 'Wat zullen we met je moeder doen?'

'Mevrouw?' vraagt Anne.

'Wat zullen we met je –'

'De prijs!' roept Canoe. 'Dat was ik bijna vergeten!' Ze doet haar handtas open en haalt er een Japanse waaier uit, een goedkoop ding dat je in elk warenhuis kunt kopen. 'Buddy heeft deze meegenomen uit Tokio, de klootzak. Hij zei dat hij van keizerin Hirohito was geweest, die haar gezicht nooit in het openbaar mocht vertonen.' Ze houdt de waaier voor haar gezicht en knippert met haar ogen. 'Alle ogen zijn gericht op jou, kind,' zegt ze, met een buiging. 'Gebruik hem maar tot je geleerd hebt om van de chocola af te blijven.'

Anne begint hevig te blozen; haar schouders en armen worden rood, haar vurige wangen worden nog vuriger, maar haar ogen verharden zich om niet te huilen. Ze buigt zich naar voren om de waaier van haar moeder aan te nemen, en terwijl ze dat doet valt haar hoed op de grond. Canoe begrijpt het gebaar van Anne verkeerd; ze grijpt Anne vast in een omhelzing, ze klemt haar stevig tegen zich aan alsof ze een riem aantrekt.

'Nou, nou,' zegt Jean terwijl ze haar cheque opstrijkt. 'De dames hebben een fijne dag.'

Niemand weet nog wie er op het idee kwam om naar Soldier's Field te rijden, voor de meiherrie die net zou beginnen. Hoogstwaarschijnlijk was het Canoe die voor ons uit reed in haar Ford Woody.

Toen we aankwamen waren er al jongens die door onze dochters herkend werden, en de meisjes verdwenen onmiddellijk; ze stortten zich uit de auto's en schopten hun kurken sandalen uit om op blote voeten weg te rennen over het pasgemaaide gras. Een tijdje later liepen ze te paraderen met hun flaphoeden op; ineens waren ze trots op hun creaties, alsof de hoeden insignes waren van een geheime club. Ze kwamen zich zo nu en dan bij ons melden – voor geld of toestemming –, maar ze waren voornamelijk op zichzelf. Wie was dat niet? En dat was uiteindelijk ook goed; ze waren al bijna volwassen. Op een dag als vandaag probeerden we dat nuchter te bekijken. We hadden ons best gedaan; hen van hier naar daar geloodst, hun voedsel, onderdak, een vader gegeven, die ze aanbaden, knap als hij was, en allerlei verre familieleden. Ze waren geen baby's meer, hoewel we het liefst duizend dagen als deze zouden ruilen voor het gevoel van hun lijfjes op onze borst, met hun piepkleine teentjes tegen onze slap geworden buik, hun handjes in vuistjes of wijd uitgespreid.

We hadden geen idee! We liepen blindelings door het duister, en voelden op de tast een klein eindje voor ons uit; we waren doordrenkt met flessenmelk, vertwijfeld in onze goede bedoelingen. We schilderden de kinderkamer heldergeel, veranderden van gedachten en schilderden hem roze. We maakten lijstjes van dingen die we moesten doen. Maar hun lijfjes glipten tussen onze handen door wanneer we hen baadden, ze waren zo klein, hun geur was het heerlijkste wat we ooit hadden geroken. Het was genoeg om te kijken hoe ze sliepen, een stapje zetten, om te luisteren naar hun grappige geluidjes. Daarna zeiden ze een woord, zinnetjes; ze leerden zelf hun tanden te poetsen, boeken te lezen. We zagen hoe ze van ons wegliepen, wegrenden. Dag! riepen ze, terwijl ze in de schoolbus klommen; wij zaten in de auto; het was te koud voor hen om daar alleen te staan wachten – ze konden wel een longontsteking oplopen! Dag! riepen ze uit het open raam van de bus; we hadden beloofd om bij de auto te blijven wachten, we waren te ver weg om ze te kunnen verstaan, maar we konden zien, aan de krachtige zwaai, het bleke handje, waar ze waren. We stonden er nog een hele tijd nadat ze verdwenen waren – opgezogen door de bus, door de gevlekte schaduwen van de olmen, het lege zwarte lint van de weg die achter hen aan slingerde.

Dat was niet erg. Het was het begin van iets groots, zei Canoe, een verandering van het paradigma. Een creatieve uitbarsting! Je kon er niet omheen: vrouwen van middelbare leeftijd die hun bestemming vonden, een nieuwe man ontmoetten, een bedrijf opzetten, een wereldreis maakten. We konden alles doen wat we verdomme wilden, zei Canoe, ongebonden als we waren, en dat zouden we ook, wisten we, zodra we bedacht hadden wat.

Maar nu denken we alleen aan de kou. We pakken ons vest van de stoel naast ons, grijpen een extra pakje sigaretten. Als de schemering invalt steekt er een briesje op, dat de wimpels optilt van de meiboom die midden op het veld staat, een voorbode van de avond, hoewel de dag lang heeft geduurd, zoals vroege lentedagen doen. We kruipen tegen elkaar aan op de tribune, tussen de onbekenden; straks, hebben ze tegen ons gezegd, gaat de meidans beginnen.

DE JACHTHONDEN ZIJN ER WEER

Canoe heeft de jachthonden weer gehoord. Niet de brakken waar wij op zitten te wachten, een nuffige wriemelende meute, maar echte jachthonden, zegt ze, rondzwervende woeste horden, hun roze halsbanden zijn alleen een concessie. Ze omsingelen die arme beesten zodat ze versteend raken van angst; de ganzen worden ter plekke onvruchtbaar, overdonderd door de wrede blik van die moordenaars, of dat staat in de nieuwsbrief van de club.

Het zal niet lang meer duren tot de ganzen dit gevecht verliezen. Overal in de weilanden, of waar de weilanden vroeger waren, zijn verfomfaaide troepen ganzen te vinden; hun snavels en kraaloogjes zijn gericht op het dal waar vroeger een moeras was, hun zwarte geschubde poten zijn verbleekt tot een asgrauwe kleur. Ze waggelen heen en weer, ze zijn schrikachtig; als je ze een handje brood geeft klappen ze met hun vleugels, ze zijn net zo brutaal als de meeuwen op de parkeerplaats van de Safeway. We hebben al meerdere malen gezien dat ze de weg kwijt waren en midden op de oude Route 32 stonden.

Ga uit de weg, lijken ze te zeggen. *Toet, toet.*

Canoe zegt dat dit ras in staat is om kinderkeeltjes open te rijten.

'Je bedoelt die Duitse,' zegt Barbara. 'Uit de oorlog.'

Louise Cooper schraapt haar keel. 'Luistert er eigenlijk wel iemand, of zo?' wil ze weten.

We lachen, natuurlijk, hoewel het een slechte imitatie is. Als je onze dochters wilt nabootsen moet je het zó doen, maar er komt nog meer bij kijken: de manier waarop ze haastig een telefoongesprek afbreken – druk, druk, druk; hoe ze met hun ogen rollen, of met hun duimen draaien wanneer wij over het hoofdartikel praten. Ze zijn misschien iets vriendelijker sinds ze kinderen hebben – wij zijn hun kaartje naar Bermuda, hun skiweekend, hun avondje uit –, maar het doet er niet toe; we hebben geleerd onze mond te houden.

Louise was midden in een beschrijving van Zijn ontsnappingspoging; Hij wilde in het holst van de nacht uit het Instituut ontsnappen, Zijn koffer was gepakt, zo goed en zo kwaad als het ging: een instituutspyjama, sloffen, een collage van schelpen die Hij had gemaakt op de bezigheidstherapie. Wat nog meer? Blijkbaar had Hij een touw gevlochten van een gebloemde beddensprei, net zo een als die van ons. Wij stellen ons voor hoe Hij hand over hand langs een slinger van verschoten rozen naar beneden glijdt, terwijl Hij de koffer voorzichtig vasthoudt, net als de baby van Lindbergh.

'Nee, het zijn geen rottweilers,' houdt Canoe vol. 'Een ander ras. Ze hebben ze een speciale training gegeven. Met ratten, of zoiets. Ik heb het gelezen; ze hebben ze geleerd om wreed te zijn, om elkaar aan stukken te rijten. Ik heb het ergens gelezen. Verveling, geloof ik. Ze zorgen dat die beesten zich kapotvervelen.'

We luisteren naar Canoe, maar ook weer niet. Hij is degene aan wie we terugdenken: Hij is degene tot wie we zullen terugkeren: Louise is niet de enige. Hij heeft ons allemaal verschalkt, de een na de ander, bij de zwemwedstrijden van de kinderen bijvoorbeeld. Zijn haar glad achterovergekamd, net zo mooi als dat van Gatsby. Hij droeg een zwembroek, een handdoek om Zijn nek. Blies Hij op het fluitje? Scheidsrechter? Het is een leven lang geleden. Hij rook naar chloor en kokosboter, Zijn gebruinde huid glom. Je zou groenten hebben kunnen bakken op die huid, Hij zou naar zout of gember smaken, een wortel zó uit de aarde.

Hij legde Zijn handen op onze schouders, hield ons tegen: Hij was onze enige zonde.

Ergens verderop, in het kleedhokje, hipte onze dochter van de ene voet op de andere om het water uit haar oren te krijgen. We stelden ons haar knokige knieën voor, en de druipvlekken die ze maakte op de betonnen vloer. Van daaruit rijzen haar grove, harige benen naar een kruis – een popo, noemden we dat vroeger, maar nu noemen we het kruis omdat we niets anders kunnen verzinnen – een vagina? Genitaliën? Kom nou! – dat sinds kort is bedekt met haar. We hebben hier weleens een glimp van opgevangen, hoewel ze het voor ons verbergt zoals ze ook haar borsten verbergt; ze draagt twee of drie T-shirts over elkaar en houdt haar armen gekruist, zelfs in onze fantasie, alsof ze weet dat wij naar haar kijken, haar beugel zit vol karamel.

Later zal Hij haar ontdekken zoals Hij alle meisjes ontdekt, Hij zal steels naast haar komen staan zoals Hij nu bij ons doet; ze is Zijn oppas, het tienermeisje dat Hij 's zaterdagsavonds in de auto naar huis brengt. Dronken. Hij vindt haar slapend voor de televisie, met een of andere lachfilm die te hard staat, hoewel de kinderen rustig doorslapen. Hij staat achter haar, Hij ruikt naar sigaretten en ondefinieerbare drank. (Het is belangrijk dat je al vroeg leert om op eigen benen te staan, zeiden we tegen onszelf. Ze verdient een zakcentje, zeiden we.)

Hij streelt haar glanzende haar; ze kan Hem niet zien, ze wordt ook niet wakker. Ze slaapt altijd als een os. Hij buigt zich omlaag en snuift haar shampoo op: Herbal Essence. Hij is niet stomdronken, maar het scheelt niet veel. Hij zou koffie moeten zetten, iets moeten eten, maar Hij blijft hier liever staan snuiven. Ze ruikt naar alle meisjes van veertien, zestien, die horden meisjes bij het zwembad, die eerst de ene kant bruin laten worden en dan de andere. Hij kan hun namen nooit onthouden. Ze hebben kleine parelwitte tanden, verpakt in metaal. Ze hebben roze oogleden. Ze wrijven citroensap in hun haar en de oudere meisjes spuiten met waterstofperoxide uit felgekleurde flesjes. Ze zetten hun radio aan, hoewel het tegen de regels is; zo nu en dan gilt er een alsof ze plotseling gebeten wordt.

Maar nu kijkt Hij niet naar haar, Hij kijkt naar ons, houdt ons zelfs vast. Zijn ogen zijn stralend blauw. We overwegen om dat te zeggen, maar het is beter van niet. Het is zo banaal, en bovendien hebben we weinig tijd. We staan in de schaduw, die donkerder is door het felle licht van het middaguur. We staan uit het zicht, ook al duurt het maar even, in het overdekte gangetje naar de Gevonden Voorwerpen. Hij trekt ons tegen zich aan, Zijn stijve pik – alleen op die manier kun je het zeggen –, Zijn gladde tong.

We slaan onze dekens om onze schouders. Onze dekens ruiken naar hond, en als niemand kijkt ruiken we eraan en denken aan vroeger.

Maar er kijkt nooit iemand.

We drinken de wijnzak leeg, knijpen in het leer voor de laatste druppel. Het is ijzig, bijna zes graden onder nul. Een eindje verderop, buiten onze kring, staat Gay Burt hulsttakken te knippen in de greppel langs de weg. Ze knipt en knipt en laat twijgen vol bessen vallen in de emmer op de grond bij haar hoge zwarte laarzen.

Nu keert ze terug met haar buit. 'Gegroet, gij dronkaards,' roept ze; ze loopt met de emmer voor zich uit. 'Zeg eens, we gaan ervandoor. M'n oren vriezen eraf.' Gay Burt doet het portier open, ze houdt de emmer voor zich uit. Haar handen zijn geschramd, ze bloeden. Er waren stekels, en wellicht ook teken, maar het is te koud om daarover in te zitten. Met dit weer worden de stukken op haar neus wit, gequilt. Ze legt de heggenschaar op de vloer en klimt naar binnen op haar zware laarzen. We gaan uit elkaar naar onze eigen jeeps, slaan portieren dicht, frommelen aan de radio; het uitje is enigszins mislukt – ze zijn er nog niet. Eerlijk gezegd zijn we al bijna weggereden voor we ze zien; we zetten de motoren weer af en draaien de raampjes omlaag. Weliswaar zijn er tegenwoordig geen vossen meer – de nuffige brakken jagen blaffend op een vals spoor, voor de gek gehouden door een technische truc –, maar het is nog altijd een mooi gezicht. We zien hoe ze naderbij komen, met sprongen over de oude heuvels, op gezadelde, opgetuigde paarden. Het is een tafereel van Wyeth, of nog vroeger, uit een andere, betere eeuw, uit Austen – over alles ligt een zweem van tempera: witte ademwolken en gladde zwarte dijen, fijne penseelstreken voor de fluwelen caps, de zweterige leren singels. De paarden verwarmen de dag, hoe dan ook, en dus talmen we even in die warmte voor we de weg op draaien.

De kinderen komen niet naar huis, we nemen geen boom. Er is natuurlijk een verhaal, maar wie zal het vertellen? Hun vaders, de inkopen, de kleinkinderen, de reis. Enzovoort, enzovoort. Met Pasen komen ze weer, heus. We bewaren de nieuwe mutsen voor onze kleindochters in vloeipapier verpakt op zolder, bij het snoep dat we vorig jaar voor een zacht prijsje hebben gekocht. Dit is een traditie; Pasen en de kerstdagen worden verdeeld onder de schoonfamilies en de vaders alsof het kaarten zijn, maar er wordt geknoeid met het spel. We trekken elke keer een kleintje – ook wel eens een flop. Laten we volstaan met te zeggen dat de kerstfiguren die wij maken bedoeld zijn voor het feest in het hospice. We zetten ze te drogen op Canoes schoorsteenmantel, de glitters en lovertjes zitten onder de lijm: wij zijn geen voorstanders van een strakke lijn.

Die van Gay Burt is verreweg de beste: een piepklein kerstboompje, met bessen bij wijze van lampjes, in de top zweeft een engel van draad. 'Ik smacht naar rood in deze tijd van het jaar,' zegt ze. 'Net als naar grapefruits.'

Mimi Klondike worstelt met een lisdodde. Ze had het idee om een boot te maken, zegt ze, met zeilen van populierenhout, maar het populierenhout werkt niet mee. Ze heeft stekels zo scherp als splinters in haar vingers. 'Verdomme,' zegt ze, terwijl ze een trek van haar sigaret neemt. Grijze as dwarrelt als sneeuw op haar zeilboot.

Er is iets op tv, een van die oude films: *It's a Wonderful Life*, of *White Christmas*.

'Ik was altijd weg van Bing,' zegt Bambi.

'Dit is Jimmy Stewart, hoor,' zegt Barbara.

'Weet ik,' zegt Bambi. 'Maar ik was altijd weg van Bing.'

'Hoe laat worden we verwacht?' wil Suzie weten, aangezien we via de telefoon zijn uitgenodigd. Kom feesten met de zieke kippen, kraste Judy Sawyer.

Louise Cooper steekt een naald en draad door een boompje van vilt, om er een klein gedroogd roosje op vast te naaien, iets uit haar verzameling. 'Ik heb gehoord dat een verpleegster nota bene zag dat Hij het deed; Hij hing daar als een gek, half binnen, half buiten, voor Hij viel. Ze zeiden dat het helemaal niet zo'n soort Instituut is. Niemand zou Hem hebben tegengehouden.'

We zien het Instituut voor ons, een huis in tudorstijl van baksteen, gebouwd door een DuPont uit het verleden die blijkbaar een slecht gen had, of meerdere: eerst één kind, later nog een. Het ligt uitgestrekt aan de rand van onze stad, omringd door oude esdoorns en rozentuinen en een beroemd druivenprieel, met druivenstruiken waarvan de oorspronkelijke stekken rechtstreeks uit de champagnewijngaarden van Trentino komen, wat ironisch is, aangezien er in het Instituut voornamelijk dronkelappen wonen, hoewel ze kortgeleden een vleugel hebben verbouwd voor depressieve, dwangneurotische en neurotische patiënten. Wij zijn niet het soort mensen dat professionele hulp zoekt. Je hebt er zelf voor gekozen, zeggen we. Maar soms, wanneer we aan het eind van de middag langs de door esdoorns omzoomde oprijlaan rijden, en een glimp opvangen van een blauw of rood licht uit de bovenste Tiffany-ramen – besteld door een hoge nazi, en ruit voor ruit overgebracht vanuit een kasteel in de Dordogne – verlangen we naar het leven in het Instituut, naar de vredigheid die het met zich meebrengt, naar maaltijden die worden opgediend door goedgetrainde bedienden, naar het gedempte licht van kroonluchters, naar avonden doorgebracht in het gezelschap van de ongelukkigen.

Louise snottert. 'Laat Hem los, Louise,' zegt Barbara.

Toch staan we er allemaal bij stil, en zien voor ons hoe Hij languit op de grond ligt tussen die donkere esdoorns, met een gebroken nek.

Judy Sawyer vertelt ons wat ze gedroomd heeft. De laatste tijd heeft ze het vaak over dromen; in de vorige waren we weer bij Esther Curran, in de woonkamer met de grijsblauwe bank. De windhonden waren zo klein als muizen; wij zaten aan de lange tafel en brachten een dronk uit op Walter van Esther. Walter was er ook, zowel op het schilderij als in het echt, zei ze, zoals dat gaat in dromen, en hij was mooi, zei ze. Magnifiek, de knapste echtgenoot. Hoe kreeg ze het voor elkaar? vroeg Judy. Dat blinde geluk? Wij wisten het niet.

In deze droom is Judy weer in Mexico, in dat hotelletje in Zihuatanejo met de gebeeldhouwde stenen trap naar het water, of naar een klif dat uitsteekt boven het water. Dick en zij waren daar weer naartoe gegaan omdat ze twintig jaar getrouwd waren. Op het klif dat uitstak boven het water lag ze elke dag op een chaise longue, zei ze, terwijl Dick boven in de bar van het hotel een kruiswoordpuzzel deed. Elke dag lag ze op die chaise longue te luisteren naar het water dat tegen de stenen kletste, *klets, klets, klets;* ze dacht dat ze zich gewoon over de rand kon laten glijden, in het water glippen en verdrinken; niemand zou het merken. Ze vertelde Dick over dat gevoel en hij weet het aan de hond die ze hadden doodgereden, in hun huurauto, op weg van het vliegveld naar het hotel. De hond was een van de vele identieke straathonden die in horden door de hele stad zwierven. Elke avond, wanneer ze over de stoffige weg de stad in liepen om ergens te gaan eten, dacht Judy dat ze hem herkende in een hond met drie poten, of een hond met een gescheurd oor, hoewel Dick haar verzekerde dat hun hond dood was. Ik heb hem zelf geschopt, zei hij, want zij had gereden en was begrijpelijkerwijs zo geschrokken dat ze niet uit de auto kon komen. De hond heeft niet geleden, zei hij tegen haar, hij was gewoon van het ene moment op het andere dood.

'Dat was ons begin van het einde,' zegt Judy.

'Wat bedoel je?' vraagt Viv.

'Ik heb jullie nooit verteld over die van mij,' zegt Judy.

Ze ziet er uitgeput uit en laat zich terugvallen op het kussen. De stervenden zijn her en der verspreid over de zitkamer, overal zijn kussens op elkaar gestapeld. Er zijn leden van de boekenclub, maar de meesten herkennen we niet. Er zijn ook familieleden – althans, we nemen aan dat het familieleden zijn – en kinderen met glanzende ogen, netjes gewassen en gekamd, ze houden pakjes vast en lopen naar de Zonnezaal. Judy's dochter, Melissa, is ergens ingesneeuwd, maar ze komt morgen om ons te verbannen naar het land der levenden, zoals ze het uitdrukt. Nu lepelt Cookie slap geworden cornflakes in Judy's mond. We zijn aangekomen tijdens het avondeten, ook al is het pas vier uur.

'En wat gebeurt er dan?' vraagt Canoe.

'Wat bedoel je?' vraagt Judy.

'In je droom?' vraagt Canoe.

'Ik rijd de hond dood,' zegt Judy.

'Wat bedoel je?' vraagt Canoe.

'Ik doe nooit anders,' zegt Judy.

De ziekte zal binnenkort haar strottenhoofd verkalken. Een wrede manier om te sterven, zegt Melissa, maar is er dan een betere? Na nieuwjaar zal ze niet meer kunnen praten, maar nu praat ze aan één stuk door. Wij luisteren naar haar verhalen, of ze nu logisch zijn of niet. Wij zijn het enige wat ze nodig heeft, nietwaar? Een publiek?

Onze kerstfiguren liggen te drogen op onze schoot; wij kunnen hun gewicht voelen. Er groeien snorharen, die we graag zouden uittrekken, op Judy's bovenlip; haar bril zou wel een schoonmaakbeurt kunnen gebruiken. Naast haar ligt Betsy Croninger met een gebreide muts op, haar wenkbrauwen zijn niet bijgetekend en haar badjas staat open. Iemand zou haar knopen moeten dichtdoen.

Aan het andere eind van de hal, in de Zonnezaal, zetten ze de kerstboom in elkaar, een spookachtige, kunstmatige kleur blauw. De gasten kijken naar de mannelijke bedienden; maar het is bijna helemaal stil, de kinderen zijn tot zwijgen gemaand, de fontein is drooggelegd gedurende de wintermaanden, de penny's zijn opgeruimd en in de snoeppot gegooid.

Bambi zegt: Als wij het moeten doen, dan moeten wij het doen. Ze timmert op de kromgetrokken piano, haar goede hand glijdt over de toetsen terwijl we kerstliedjes brullen. Achter ons bungelen onze kerstfiguren van de stijve aluminium takken, met al hun lovertjes scheef. We hebben rare hoedjes van zilverpapier meegebracht, Canoe heeft een gewei op haar kop en een rode neus. Sinds twaalf uur is ze ladderzat. Toch zingt ze zuiver, ze heeft jarenlang in het kerkkoor gezeten.

Een van ons vindt een tamboerijn en Cookie komt naar beneden. Misschien is zij het, misschien is het een van ons, die op het idee komt om een polonaise te doen. We slingeren rondjes door de Zonnezaal, de dieren staan op een kluitje een eindje hoger op de heuvel en steken wollig af tegen de prachtige winterse zonsondergang. Ze kruipen bij elkaar in hun stalletje voor de warmte: Henrietta het varken, Gus het schaap en de lama Fitzwilliam. Dat stalletje is gebouwd door de mannelijke verplegers en een paar redelijk kwieke gasten. Je zou je bijna kunnen voorstellen dat het Kindeke Jezus daar ook ligt, tegenover de afdeling voor bezigheidstherapie, gewikkeld in Zijn doeken.

Canoe brengt ons naar huis in Bambi's bestelwagen, geschikt voor gehandicapten en ruim. Zij is altijd degene die rijdt. We zitten twee aan twee als schoolmeisjes op de terugweg van een wedstrijd. Hebben we gewonnen of verloren? Onbelangrijk, eigenlijk. We gaan gewoon naar huis.

Plotseling ziet ze iets in een flits: gele ogen, hoektanden. Dat vertelt ze ons pas later. Op dit moment zwenkt ze de bestelwagen zonder meer naar de wegberm en stopt, laat de raampjes naar beneden zoeven en zet de motor uit. Het is buiten kil en donker; we kunnen onze ademwolken zien.

We staan op de oude Route 32, vol bochten, beschadigd door bouwprojecten en een nieuwe voetpadverordening. Ten westen hiervan is Route 1, de weg die onze kinderen nemen als ze ons komen opzoeken; maar daar is altijd verkeer, het gedoe met stoplichten, het winkelcentrum, de drukte enzovoort, enzovoort. We wachten op hen, ten oosten van het winkelcentrum, een uur van het echte vliegveld. Hier, te midden van onze kleine bossen, laten we de rododendrons woekeren en de seringen uitgroeien tot lange sprieten. Onze huizen staan verborgen achter bomen en buxushagen; het zijn vergeten reliekschrijnen, zouden we tegen ze kunnen zeggen, van ons soort mensen. Maar wat voor soort mensen zijn wij? Vergelende parels aan een strakgespannen snoer: ooit werden we op prijs gesteld, maar nu zijn we veel te lastig. Wij zullen verpulverd worden tot gruis, zouden we kunnen zeggen; we waren al die tijd al onecht.

'Ik heb een keer een opossum doodgereden,' zegt Canoe. 'Toen ik Anne ophaalde van school; ze heeft een week lang niet tegen me willen praten.'

'Zijn staart was zo lang als mijn arm; ik zal het nooit vergeten. Je zou denken dat ik het beest expres had aangereden. Anne deed alsof ik een soort monster was. Het brak mijn hart, eerlijk,' zegt Canoe. 'Niet dat ik het beest doodreed. Dat was een ongeluk. Maar de manier waarop Anne naar me keek.'

Ten westen hiervan hebben ze het donker verbannen; je zou daar nooit kunnen verdwalen. Maar hier is de nacht pikdonker. We zitten samen met Canoe te wachten. We hebben alle tijd van de wereld.

HET BEGIN VAN HET EINDE

Professor Dipple en Cilla Whitney zitten naast elkaar op de rand van de gebloemde sofa; achter hen hangt een portret van Rebecca Westerlake, een voormalige docente biologie en een olympische sportvrouw (boogschieten, als wij ons goed herinneren, maar het kan ook schermen geweest zijn); ze kijkt ons dreigend aan, in haar hoedanigheid van emeritus hoogleraar economie, die ooit de Winfield Stevens-leerstoel heeft bekleed. Ze heeft een corgi op schoot, het lievelingsras van de koningin. Vlakbij, op een bibliotheektafel, staat een vaas met lelies. Oranje, haar lievelingskleur.

Tijdens haar leven stond ze erom bekend dat ze verschillende kleuren kniekousen droeg, en midden in haar colleges de zaal uit wandelde met een brandende sigaret achter haar oor. Haar man, Carlos, had ze ontmoet toen ze in Freiburg studeerde, hij was een Spanjaard en hopeloos slecht in Duits; ze communiceerden in het Latijn, en soms in het Engels. Hij stierf kort nadat ze waren geëmigreerd en lag begraven op het kerkhof naast het universiteitsterrein, waar zij bijna veertig jaar later met hem verenigd werd; hun grafschriften waren slordig uitgehouwen en onleesbaar, maar zonder enige twijfel hoogstaand en wijs. De conciërge van de universiteit stak ieder jaar op Memorial Day een vlag in de grond boven hun grafkisten, in de verkeerde veronderstelling dat Carlos een veteraan was uit de Eerste

Wereldoorlog, hoewel het in werkelijkheid een Burgeroorlog was, in Spanje. Toch had Carlos op die manier iets te doen; hij wapperde, want er stond dikwijls een krachtige wind in Massachusetts, zelfs eind mei, en ze lagen op het hoogste punt, want professor Westerlake beschikte bij haar dood over het beste stuk grond, zoals ze tijdens haar leven ook had gedaan – het huis waar ze tientallen jaren in haar eentje had gewoond was een laat-achttiende-eeuws Engels landhuis, op de hoek van de hoofdstraat en de ooststraat, dat na haar dood nog steeds gewoon Westerlake genoemd werd.

Viv zit te staren alsof ze professor Westerlake door wilskracht kan dwingen om uit haar stoel op te staan. Als ze zich voldoende concentreert zou de corgi kunnen gaan keffen, van haar schoot springen en naar de deur rennen die een beetje openstaat, dezelfde deur waardoor de drie vrouwen een tijdje geleden zijn binnengekomen. Oorspronkelijk was het de bedoeling dat ze zouden gaan wandelen, maar de wandeling werd onderbroken door de regen, en daarom stonden ze nu in de Studiezaal voor Vrouwen, die verlaten was, want de examens waren al een paar dagen voorbij. In feite staan de koffers van Viv gepakt en wel klaar voor vertrek, aan de voet van de lange, sierlijke trap die naar haar kamer leidt, of de kamer die zij een paar jaar lang heeft gebruikt. Ze had een eenpersoonskamer gevraagd en gekregen, omdat ze van tevoren wist, voor ze op de universiteit aankwam, dat ze geïsoleerd – of liever: afgezonderd – zou zijn van de andere meisjes.

Het was overduidelijk waarom professor Dipple en Cilla Whitney dit uitje hadden voorgesteld en wat ze tegen haar wilden zeggen, maar het leek alsof ze allebei hun tong hadden verloren. Daarom hield Viv al geruime tijd een nietszeggend gesprek op gang, waarbij ze zich alle drie ongemakkelijk voelden. Tijdens de wandeling wees ze naar de verschillende gebouwen waar ze colleges had gevolgd, en naar het raam van de bibliotheek waarachter haar studiecel stond, of wat ze beschouwde als haar studiecel, zei ze, aangezien er geen toegewezen studiecellen waren, zoals zij waarschijnlijk wisten; iedereen – hiermee bedoelde ze de meisjes – eiste er een voor zichzelf op aan het begin van het jaar. Aangezien Viv gedurende de zomermaanden op de universiteit was gebleven, had ze haar studiecel vier jaar lang behouden, wat bijna nooit voorkwam, zodat ze de studiecel nu eigenlijk beschouwde als haar kantoor of studeerkamer. Ze kon zich niet voorstellen dat de studiecel door iemand anders gebruikt zou worden, en als ze dat wel deed voelde ze zich erg gedeprimeerd (dit was een nieuw woord voor Viv, dat ze had opgepikt tijdens haar werkgroep psychologie, en ze gebruikte het met overgave).

Viv geneerde zich omdat ze maar doorging over die studiecel, en ze maakte er abrupt een eind aan na het woord 'gedeprimeerd'. Toch kon ze zich niet weerhouden eraan te denken, terwijl ze met die twee vrouwen door de zachte motregen liep, hoe ze foto's had opgehangen van haar broers, en een nieuwe, afgelopen voorjaar, van Don, en hoe ze daar vaak hele avonden had gezeten, tot de andere meisjes waren teruggekeerd naar hun kamers of de zitkamers, waar ze zaten te roddelen of wat dan ook, terwijl zij in de stilte uit het raam naar het uitzicht keek.

Viv is door haar kletspraat heen, en bovendien is ze moe geworden van de regen. Ze kijkt omlaag en betast de ring die Don haar vorige week heeft gegeven; die voelt nog steeds te groot, hoewel hij in werkelijkheid fijntjes is, een dunne gouden band met een kleine empire-diamant.

Cilla Whitney buigt zich voorover. Viv zit tegenover de beide anderen op een ongemakkelijke stoel met een rechte rug.

'We willen met je praten over je carrière,' zegt Cilla Whitney.

Het woord 'carrière' stijgt op en klapwiekt door de zaal, en daalt vervolgens neer op de schouder van Rebecca Westerlake; het krast en pikt in haar gezicht, maar ze vertrekt geen spier. Ze is nu dood en hoeft geen keuzes meer te maken; de dood is een troost, wat dat betreft. Het was een onmogelijke beslissing, nietwaar? Maar op de een of andere manier gemakkelijker, in haar tijd.

'Ja?' vraagt Viv; ze weet natuurlijk precies wat er komen gaat.

Cilla Whitney glimlacht, ze moet ooit een mooi meisje zijn geweest. Dat zegt iedereen. Ze heeft groene ogen die geaccentueerd worden door zwarte make-up, en houdt haar hoofd op een bepaalde manier schuin waardoor het lijkt of ze van een grote hoogte neerkijkt, en ze is al zo lang. Ze is naar Smith College gekomen om ballet te geven en heeft een opleiding gedaan bij Isadora Duncan of Martha Graham, in San Francisco – er is ook een verhaal over Salvador Dali, maar Viv kan zich de bijzonderheden niet meer herinneren – en ze is snel opgeklommen tot studentendecaan. Het feit dat ze de metgezel van professor Dipple was gaf aanleiding tot een hele hoop gepraat, aangezien professor Dipple een overwegend seksloze indruk maakte, en er androgyn uitzag met haar zware schoenen, haar grote vierkante handen, en haar luide, weergalmende stem.

Nu wendt Cilla Whitney zich tot professor Dipple, die als een kind naast haar zit, alsof er iemand is langsgekomen die haar heeft neergepoot op de gebloemde sofa. Professor Dipple is duidelijk het meest onbeholpen van de twee; dat is begrijpelijk, aangezien zij haar dagen doorbrengt, alleen in een werkkamer of achter een lessenaar, op grote afstand van haar studenten. Cilla Whitney praat de hele dag, of dat zegt ze altijd wanneer iemand vraagt wat ze doet. Ik praat de hele dag, zegt ze. Praten, praten, praten. Nee, maar heus, ik ben dol op de meisjes. Praten, praten, alleen maar praten.

'Wij hebben begrepen dat je je aanvraag voor een studiebeurs hebt ingetrokken,' zegt professor Dipple; haar stem klinkt verrassend direct. 'Of ik zou moeten zeggen: dat je hebt verzocht om uitstel.'

'Ik vond het beter om een jaar te wachten,' antwoordt Viv. 'Ik wilde mezelf de tijd gunnen om na te denken.'

Dat is niet helemaal onwaar, of liever: dat is wat ze steeds tegen zichzelf heeft gezegd sinds eergisteren, toen ze de kamer van de decaan binnen liep met het verzoek of mevrouw Brown, de secretaresse voor deze zaken, haar aanvraag wilde verwijderen van de dikke stapel, aangeduid met het woord 'studiebeursaanvragen', die ze zag liggen vanaf de plek waar ze stond. Ze stelde zich voor dat professor Dipple en decaan MacAbe haar werkstuk zouden lezen en bloosde toen ze terugdacht aan de moeite die ze gedaan had; ze had zelfs een paar verwijzingen van voetnoten voorzien, in het bijzonder die naar Wallace Stevens: "Ik was de wereld waarin ik liep, en wat ik zag/ Of hoorde of voelde kwam louter uit mijzelf;/ En daar vond ik mijzelf, waarachtiger en vreemder." – Was ze nu zo stom geweest om het ding een titel te geven, alsof professor Dipple en decaan MacAbe een oorspronkelijk werk lazen, iets wat een titel waard was, alsof ze er later naar zouden verwijzen, of zouden terugdenken aan iets diepzinnigs wat ze gezegd had?

De wereld zal niet rouwig zijn om het verlies van een wetenschapper die het modernisme bestudeert, denkt ze; de wereld zal zeker niet rouwig zijn om het verlies van mij als wetenschapper die het modernisme bestudeert.

Professor Dipple slaakt een zucht.

'De faculteitsraad vergadert vandaag. Cilla en ik geloven dat een student die door ons wordt voorgedragen een serieuze kans maakt. Zou je er nog eens over willen nadenken?'

Jaren later, toen Viv eraan terugdacht – dit moment in mei, dit uur – vroeg ze zich af hoe ze er in hun ogen had uitgezien. Niet als een vrouw, maar als een pad, met haar zware letterjack om haar schouders. Ze zat met haar benen gekruist bij de enkels en streek haar rok glad. Ze vond het moeilijk om Dipple recht in haar paarsblauwe ogen te kijken. In plaats daarvan keek ze naar haar zware grijze wenkbrauwen. Dipple droeg het donkere pak dat ze altijd aanhad als ze college gaf, en een buttondown mannenoverhemd dat ze in haar broek had gestopt. Ze droeg zware schoenen, hoewel Viv haar voeten niet helemaal kon zien, omdat ze verborgen waren onder de salontafel die tussen hen in stond.

'Nou,' zegt ze – hoe ze het ook deed, ze deed het nooit goed – 'de waarheid is dat ik heb besloten om te gaan trouwen.'

'Eerst,' voegt ze eraan toe.

De vogel op de schouder van Rebecca Westerlake krast en slaat met zijn vleugels, zijn lelijke rode oogjes worden kleiner. Ze zou een portret kunnen worden, nietwaar? Dat had Don toch tegen haar gezegd? Haar levensdagen slijten met een hond en een handjevol stoffige vrouwen? Niet dat ze veel twijfels had geuit. Bij de gedachte aan het moment waarop hij haar vroeg ging er een vloedgolf door haar heen, waardoor ze het beurtelings warm en koud kreeg, zelfs nu – de manier waarop hij met zijn vingers over haar knie liep, haar hand vasthield. Hij had haar de ring vorige week gegeven, en natuurlijk had ze *ja* gezegd; de vraag leek te eisen dat ze *ja* zou zeggen. Ze ging trouwen. Ze ging het doen. Hier, ze had het net tegen hen gezegd en het was alweer waar, zoals het iedere keer waar werd als ze het zei, eerst tegen haar tante Sara, die zichzelf koelte toewuifde en ging zitten, en toen tegen haar broers, die Don een klap op zijn schouder gaven of iets dergelijks, en toen tegen haar vader, die haar aankeek alsof hij nooit eerder had gezien dat ze een meisje was.

Toch voelde ze telkens als ze het vertelde een zekere dubbelhartigheid ten opzichte van het nieuws, alsof het tegelijk waar en onwaar was. Het voelde alsof ze een spelletje deed, met een heleboel draden die ze samenvlocht tot een vorm die gemakkelijk te ontrafelen was. Ze kon *ja* zeggen, maar ze kon net zo goed *nee* zeggen. Het hing ervan af. Nu op dit moment zei ze *ja*, omdat ze de ring droeg, omdat ze met Don had afgesproken dat hij haar om vijf uur zou ophalen, omdat ze rechtstreeks naar het huis van tante Sara zouden rijden, waar een verlovingsfeest zou worden gegeven, omdat haar familieleden aankwamen uit Pittsburg. Dat ze zaterdag zou afstuderen deed niet ter zake.

Noch Cilla Whitney, noch professor Dipple zegt een woord, maar Viv zal nooit weten hoe ze kijken, omdat zij haar blik op haar knieën gevestigd houdt tot de anderen hun gezichtsuitdrukking weer op orde hebben gebracht. Als hun gezichten weer in de plooi zijn getrokken, hebben ze een uitdrukking die Viv na jaren nog steeds niet begrijpt.

'Nou,' zegt professor Dipple ten slotte. 'Ik kan niet zeggen dat ik niet teleurgesteld ben.'

'Hij werkt bij Johnson & Johnson. In de verkoop. Het ziet ernaar uit dat we om de paar jaar moeten verhuizen.'

'Dus je hebt tijd nodig om na te denken,' zegt professor Dipple.

'Ze hebben zelfs een fabriek in Brussel!'

'Neuken en nadenken,' zegt Dipple.

Het woord snijdt door de scène – raam met uitzicht op het centrale plein, een regenachtige dag – en doet de decorstukken – zilveren theeservies, bibliotheektafel, Turks tapijt – in het rond tollen.

'Brussel!' zegt Cilla Whitney.

'Ik zou hier en daar een paar colleges kunnen lopen,' vervolgt Viv. 'Don vindt dat niet vervelend.'

'*Hij* vindt dat niet vervelend?' vraagt professor Dipple.

'Nou ja, nu lijkt hij het niet vervelend te vinden. Ik zal duimen dat het zo blijft. En dan dien ik volgend jaar weer een aanvraag in –'

'O, dat moet je doen,' zegt professor Dipple. 'Duim jij maar een eind weg.'

'Charlotte,' zegt Cilla Whitney; het is de eerste keer dat Viv ooit Dipples voornaam heeft gehoord, hij past helemaal niet bij haar, als een kanten sprei over een ijzeren bed.

Professor Dipple buigt zich naar voren en kijkt Viv strak

aan. Het is een blik die Viv talloze malen heeft gezien, hoewel hij tot nu toe nog nooit gericht was op haar – eerder op het meisje dat rusteloos zit te draaien, of een idioot antwoord geeft op een vraag. Dan legt professor Dipple haar vingers om de ingebouwde pennenbak op haar lessenaar en staart net zo lang tot het meisje goed op haar stoel gaat zitten met haar schouders recht (de juiste houding om kennis te vergaren, heeft Dipple verklaard op de eerste dag dat zij college gaf), of haar antwoord opnieuw formuleert met een tikkeltje inzicht.

Professor Dipple kan stommelingen niet uitstaan. Ze staat erom bekend dat ze, in bepaalde buien, een hele collegezaal vol meisjes de rug toekeert en naar buiten loopt, terwijl de meisjes als rijen ezels zitten te staren naar de aantekeningen die ze op het bord heeft achtergelaten.

Viv snakt naar adem door deze blik, door de vulgariteit van het woord 'neuken', door de woede van Dipple; ze voelt dat ze plotseling de weg kwijt is, die ze zo voorzichtig heeft bewandeld sinds Don haar ten huwelijk vroeg, heen en weer laverend in de zekerheid dat ze haar doel zou bereiken, ondanks de leegte van de horizon.

'Weet je wat ze bij elke serieuze instelling aan je zullen vragen als ze erachter komen dat je getrouwd bent? Ben je in verwachting? zullen ze vragen. Ben je van plan om kinderen te krijgen? Wat voor soort voorbehoedsmiddelen gebruik je? En geloof me: als je zegt dat jullie aan periodieke onthouding doen of zoiets idioots, geven ze je een schop onder je kont.'

'U zou hem aardig vinden,' zegt Viv.

'Vast wel,' antwoordt Cilla Whitney.

'Je kunt natuurlijk best zo nu en dan een boek lezen,' vervolgt Dipple, 'maar je zult het niet lezen op een manier die ertoe doet, de samenhang zal verdwijnen, en de betrekkingen die je nu aanknoopt als jonge wetenschapper. Het zal allemaal verzanden in een vage manier van denken.'

Viv zou erom kunnen lachen – vage manier van denken – of huilen, want het lijkt nu al te gebeuren, of sinds het moment dat ze *ja* gezegd heeft. Hoe is het mogelijk? Er zijn momenten dat ze zou willen terugkeren naar waar of wie ze was voordat ze Don ontmoette, het meisje dat de hele avond in haar studiecel bleef en aantekeningen maakte, waarbij ze zo zorgvuldig schreef, zo diep in het gelinieerde papier drukte dat het dikwijls scheurde, zodat er gaten zaten in de zinnen die ze overschreef uit een boek, of overnam van de aantekeningen in steno die ze tijdens college had gemaakt – de wijze dingen die haar docenten zeiden. Toch bleef alles daar staan, van begin tot eind – de woorden op het papier, zelfs in haar lompe handschrift, zoals prachtig gebeeldhouwde traptreden naar een plaats waar alles duidelijk zou zijn. Ze hoefde alleen maar naar boven te lopen.

Maar ze heeft op de een of andere manier haar evenwicht verloren, en nu zwalkt ze rond op onbekend terrein. Ze houdt van hem, of niet? Ja, ze houdt van hem. Ze houdt van hem en ze gaat binnen een maand met hem trouwen; de ring die hij haar vorige week heeft gegeven – een dunne gouden band met een kleine empire-diamant – is de ring die zijn moeder heeft gedragen, en haar moeder voor haar. Wat weten Cilla Whitney en Charlotte Dipple daarvan? Wat weten ze van alles wat daarbij komt kijken? Hoe hij zijn vingers over haar knie liet lopen? Haar hand vasthield?

'Ik heb nog wel wat tijd,' zegt Viv. 'Ik zal erover nadenken,' zegt ze, hoewel ze niet precies weet wat ze daarmee bedoelt.

Professor Dipple staat op en loopt naar het raam, ze draagt inderdaad zware schoenen, orthopedische schoenen, haar donkere pak is van achteren gekreukeld; ze ziet er plotseling oud uit, haar teleurstelling is heel diep: een *vluchteling*.

Als ze minder verlegen was geweest, of minder dom, zal Viv zich later herinneren, zou ze zijn opgestaan en naar Dipple zijn toegelopen, om tegen haar te zeggen dat ze de aantekeningen van haar colleges wel eens hardop voorlas, alleen om het geluid van Dipples woorden te horen in haar eigen stem. Maar ze stond niet op, ze keek alleen naar de regen buiten het raam, vanaf haar plaats op de rechte stoel. Het goot zo hard dat het uitzicht op het universiteitsterrein weggespoeld leek te zijn. Misschien was er wel nooit een universiteitsterrein geweest, of een studiecel waar ze de meeste zaterdagavonden had gezeten om aantekeningen over te schrijven, en niets liever wenste, dat zou ze nu tegen hen kunnen zeggen, in hun oren kunnen schreeuwen, dan dat een jongen als Don haar zou uitnodigen om mee naar de film te gaan. En dat was precies wat hij had gedaan: hij had haar uitgenodigd om mee naar de film te gaan, *High Noon*; in het donker had hij zijn vingers over haar blote knie laten lopen, hij had haar hand vastgehouden; daarna had hij haar uitgenodigd om mee te gaan naar een rugbywedstrijd, daarna had hij gevraagd of ze mee uit eten ging, en daarna had hij bij haar gezeten, op het universiteitsterrein, op het plein waar jongens en meisjes elkaar ontmoetten, ze hadden sigaretten gerookt en over hun toekomst-

plannen gepraat en hij had gevraagd, heel gewoon: Wil je met me trouwen?
En ze had ja gezegd.
Want wat moest ze anders zeggen?
Welke andere mogelijkheid was er?
En nu zou ze te laat komen, hij zou op haar wachten in het huis waar ze bijna vier jaar in haar eentje had gewoond, en ze moest nog een paar dingen pakken voor ze vertrok en het feest – een verlovingsfeest dat oorspronkelijk was bedoeld als een afstudeerfeest, maar tante Sara had het thema veranderd toen ze het nieuws hoorde, zei ze, dat lag voor de hand – was al begonnen; er kwamen familieleden, helemaal uit Pittsburg. Wat wisten ze daarvan, Cilla Whitney en professor Dipple? Dat alle vrouwen uit haar familie nu al in de rij stonden voor de receptie, en daar gestaan hadden vanaf het moment dat ze geboren was – haar moeder, die een jaar geleden gestorven was, tante Sara, haar grootmoeder –, hun verwachting, hun lijden, doorgevoerd tot in het extreme, terwijl ze wachtten tot zij *ja* zou zeggen. Het enige wat ze ooit hadden gewild, leek het, was dat zij *ja* zou zeggen.
Dus ze zei *ja*. Ja.
'Het spijt me,' zegt Viv.
Dipple wendt zich af van het raam.
'Mij ook,' zegt ze.

Dipple zet haar leesbril op. Ze kunnen beter gaan, regen of geen regen, aangezien de faculteitsvergadering bijna gaat beginnen, zegt ze. Ze verlaten de Studiezaal voor Vrouwen door dezelfde deur als waardoor ze zijn binnengekomen, en zeggen elkaar snel goeiendag in de hal. En wie zal ooit weten of Rebecca Westerlake haar hoofd schudde of haar armen uitstrekte nadat ze waren vertrokken? Wie zal weten of er iets verstoord is door hun gesprek, of dat alles precies zo is gebleven als het was: Rebecca Westerlake vierkant in haar lijst, de corgi op haar schoot als een klein kind, een vaas met oranje lelies op de achtergrond?

Viv moet nu opschieten. Als ze erbij stilstond, zou ze zich realiseren dat ze professor Dipple nooit meer zal zien; volgens de traditie weigert Dipple mee te lopen met de andere faculteitsleden bij de afstudeerdag, omdat ze die pracht en praal fascistisch vindt. Maar Viv staat daar niet bij stil; ze denkt alleen aan Don, ze denkt eraan dat hij er niet van houdt om te wachten, en dat hij waarschijnlijk staat te popelen om voor het donker te vertrekken.

Ze laat het modderige pad dat het noordelijke plein afsnijdt links liggen en slaat een pad in door een berkenbosje, een gedenkteken voor deze of gene, begrensd door een rozentuin en een lage stenen muur. Ze vertraagt haar pas, alsof ze plotseling een last op haar schouders heeft gekregen, of van een last is bevrijd, want haar gedachten zijn zo veranderlijk als het weer; de regen neemt af tot een mist. Het zou gemakkelijker zijn als ze net zo was als de andere meisjes, degenen die vriendinnen hadden kunnen worden – die urenlang praatten over de jongens met wie ze uitgingen, de jongens met wie ze wilden uitgaan, het ene meisje was net verloofd, het andere meisje verwachtte een ring in de lente. Zou het niet beter zijn als ze net zo was als zij? De anderen, degenen die nooit over jongens praatten, waren zo vreemd, zo eenzaam. Haar eigen gezelschap leek altijd prettiger dan dat van hen, van wie dan ook, eigenlijk.

De natte berkenblaadjes, pas groen, weerkaatsen het licht.

Er is een zonsondergang, of de kleuren van een zonsondergang, als je goed kijkt. Viv staat stil, haar schoenen zijn doorweekt. Ze kan zich nu nog bedenken. Ze zou, zelfs nu, kunnen omkeren, terugrennen en de faculteitsvergadering binnen stormen om te roepen dat ze van gedachten is veranderd, dat ze de studiebeurs toch graag wil hebben! (Ze ziet een appartement voor zich in een drukke, verre stad, met een stapel boeken en een koffiepot, onbeantwoorde brieven en foto's van neefjes en nichtjes, en een kat op de vensterbank; de dunne witte gordijnen waaien naar binnen door een briesje, de zon op de witgekalkte muren werpt een scherpomlijnde schaduw; is ze dan hier? Hoort ze hier thuis? In een andere kamer misschien? Lezend in een hoekje?)

Maar nu komen de vrouwen weer te voorschijn: haar moeder zoals ze in de kist lag: haar woede over het leven hadden ze niet kunnen verstoppen onder de rouge en make-up, net zomin als een derde oog. Ze staart naar boven vanuit de satijnen bekleding van de doodskist, haar bril zit op haar neus geklemd alsof iemand een grap heeft willen uithalen. Viv had gedacht dat de dood haar misschien vrede zou brengen, maar Moeder heeft duidelijk geen vrede gevonden. Viv ging zitten op de eerste rij, de begrafenisondernemer drukte op de verborgen schakelaar, waardoor het gordijn dichtging, de doodskist werd snel weggehaald terwijl de predikant, een man die door de begrafenisonderneming was aanbevolen, een gedicht voorlas uit *Good Housekeeping*, waar Moeder altijd van gehouden had – iets over een stofzuiger.

Tante Sara. Grootmoeder.

Deze vrouwen zijn de traditie, de levende, misprijzende voorgangsters. Ze weten maar al te goed hoe het met haar zal aflopen, maar ze zullen geen woord zeggen om haar te waarschuwen – sterker nog: ze leiden haar erheen als een lam naar de slachtbank; hun lippen zijn op elkaar geklemd alsof ze met een touwtje zijn dichtgetrokken; wordt je lot beschikt door je karakter? Kom nou. Beschikt door je sekse. Hun karakters, zouden ze tegen je kunnen zeggen, zijn onberispelijk, of zijn dat ooit geweest. Ze hebben het elke keer opnieuw geprobeerd, goede manieren geleerd, alleen gesproken wanneer hun iets werd gevraagd, hun huis piekfijn op orde gehouden. Maar veel steun bieden ze niet, ook al zijn ze met velen; bij verdriet heb je niets aan gezelschap. Ze staan gewoon in de rij, naast elkaar, en wachten – ze voelt hun hete adem bijna in haar nek – tot ze zich bij hen voegt, tot ze erin stapt.

En natuurlijk zal ze zich bij hen voegen. Ze heeft nooit enige keus gehad in deze kwestie. Het is voor haar uitgestippeld, het is vastgelegd in haar cellen als het motief op het porselein dat geërfd wordt, en weer geërfd wordt. Het leven zoals dat voor vrouwen zal zijn: eerst de man, met dunne benen en grote handen, hij corrigeert je in kleine dingen, en later in grotere dingen – aanwijzingen, instructies, bepaalde manieren om je te gedragen – en daarna de kinderen, hun spreeuwenkeeltjes goed doorbloed vanaf de geboorte, wijd opengesperd om wormen te krijgen, kwebbelend, krijsend, hun vleugeltjes nat opgevouwen tegen hun magere lijfjes, tot ze genoeg hebben gegeten om uit te vliegen; het nest dat ze voor hen heeft gemaakt was aanvankelijk donzig, zoals in een prentenboek, zacht, gevuld met katoen; naarmate de tijd verstreek werd het harder, er zaten doorns tussen het katoenzaad, de roodbruine twijgen en de prikkende brandnetels waren er al van meet af aan.

Uitstel, heeft ze ooit gedacht. Een jaar of twee wachten; dan zou ze eens laten zien waartoe een vrouw in staat was.

Op dineetjes praten mannen op stellige toon over dingen die haar niet interesseren, of liever: de gebieden die ze aan hen heeft overgelaten: geldstelsels, buitenlandse schulden, bedrijfsaangelegenheden. Ze houdt van een pittige discussie en wacht tot ze gevraagd wordt om mee te doen, maar ze is tevreden met ieder kruimeltje. Er moet nog zoveel geregeld worden! zegt ze als iemand ernaar vraagt. Het nieuwe schooljaar van de kinderen begint dinsdag al!

Dan, op een middag, klimt ze de zoldertrap op om haar oude aantekeningenschriften door te bladeren, want ze is geschokt door de zwartomlijnde overlijdensadvertentie van professor Dipple in het alumniblad van die maand, op de een of andere manier, hoewel het natuurlijk al jaren en jaren geleden is. Overleefd door haar jarenlange metgezel, Cilla Whitney, de vroegere studentendecaan, staat er in het overlijdensbericht, die nu met pensioen is en in Newport, Rhode Island, woont. Viv denkt aan Cilla Whitney in Newport, op een rots, nog altijd mooi. Ze ziet professor Dipple voor zich, wandelend langs de rotsachtige kust – ze heeft in jaren niet aan haar gedacht! – in haar mannenpak en met haar stevige schoenen. Ze huilt om hen allemaal en besluit, op dat moment, om zich op te geven voor een serie colleges voor volwassenen aan de plaatselijke universiteit. Ze kiest voor een schrijfcursus onder de titel 'Zoek de plot (of de pointe) van uw eigen verhaal'.

De docent is een jonge man die Gordon heet, pas afgestudeerd, een schrijver, zegt hij, hoewel hij nog nooit een boek heeft gepubliceerd. Hij moedigt haar aan, als oudste van de groep, om dapper te zijn, om te gaan staan en haar zinnen voor te lezen met alle geestdrift die ze kan opbrengen. Ze houdt haar schrift zo dat de letters scherp in beeld komen – die verdomde ernst van het geheel, denkt ze onmiddellijk, de pretentie van deze handeling alleen al – en begint voor te lezen, te snel, ze weet het, met te veel trots, hoewel ze die emotie niet uit haar stem kan bannen. Zo vergaat het ons allemaal, nietwaar? denkt Viv. Canoe, Bambi, Mimi, Judy Sawyer, Louise, Suzie, Barbara, zelfs Esther, vroeger, op haar manier: die paar keren dat we over echte dingen praten, is het bijna ondraaglijk, en daarom doen we het bijna nooit; we lachen liever.

De groep luistert een tijdje terwijl ze voorleest, en dan hoort Viv een verschrikkelijke verandering in de stilte, want ze kent het geluid van onoplettendheid heel goed. De ernst van de woorden of de gevoelens doet niet ter zake; ze heeft ze verkeerd gerangschikt. Ze is er niet in geslaagd om haar gedachten vorm te geven, zodat zelfs zij de lucht in haar woorden kan horen, de gewichtloosheid. Ze zweven boven haar hoofd en knappen als zeepbellen; ze stoot lucht uit, en wat had ze bedoeld? Pijlen? Kogels? Ooit, zou ze tegen hen kunnen zeggen, zat ze vol scherpe dingen, lastige hoeken en steile, puntige rotsen waar je houvast aan had, die je kon beklimmen, maar nu heeft ze geen toegang meer tot dat gebied, de poort is dicht. Vage manier van denken. Viv kijkt op en ziet professor Dipple die helemaal achteraan zit en zich net zo verveelt als de anderen. Dipple zit ineengedoken op haar stoel en krabt aan haar knie. 'Het spijt me,' zegt Viv geluidloos, en Dipple haalt haar schouders op alsof ze wil zeggen: Niet nodig.

Gordon valt haar in de rede en vraagt of Viv de laatste zin nog eens wil voorlezen, maar dan langzamer. 'Hmm,' zegt hij, en stelt voor dat ze de volgende keer zal proberen om het een beetje anders aan te pakken; dat ze zal schrijven over 'scherpe dingen'.

'Zoals vishaakjes?' vraagt ze, bedoeld als grap.

Hij strijkt over zijn snor, of datgene wat een snor zou zijn als hij ouder was.

'Misschien,' antwoordt hij.

Ze gaat zitten en kijkt de zaal rond; een paar van de jongere vrouwen glimlachen. Een jonge jongen met een paardenstaart steekt zijn duim op. Maar Dipple is verdwenen, op haar plaats staat een lege stoel.

De week daarop knikt Gordon terwijl Viv voorleest, maar ze schenkt er weinig aandacht aan. Het vuur is gedoofd, de hartstocht is verflauwd; ze heeft geen indruk op hem gemaakt, noch op iemand anders, overigens. Ze heeft niet geschitterd zoals ze hoopte, en de colleges duren nog weken.

'Wanneer ik naar jouw woorden luister,' zegt hij langzaam, nadat ze is opgehouden met voorlezen, 'denk ik aan bloemen.'

'Ja?' vraagt ze; haar hart gaat vreemd snel kloppen, vol hoop.

'Hele tuinen,' zegt hij, 'in jouw lijnen.'

Het woord 'lijnen' roept niet het beeld op van haar zinnen, zoals hij ongetwijfeld bedoelt, maar de letterlijke begrenzingen van haar lichaam, de lijnen van haar armen en benen – haar silhouet, haar schaduw, haar verschijning. Tegenwoordig heeft ze bobbels, haar ledematen zijn niet bevallig; haar huid is rasperig, haar botten worden broos, ze wordt krom, haar haar is dun en geverfd. Een vrouw op leeftijd, met geblokte kousen aan, in wol of katoen gehuld, ze draagt truien voor de warmte of een zijden sjaal. Soms heeft ze zelfs make-up op – rode lippen, bruine oogleden, een dun zwart lijntje tussen de wimpers – om toonbaar te zijn. Maar misschien ziet hij, of hoort hij, wat anderen niet opmerken; wat zij altijd heeft geweten: dat er tuinen in haar zijn, prachtige, rijkgeschakeerde landschappen.

'Ja?' vraagt ze.

Hij glimlacht weer, en knikt. 'Ik wilde vishaken,' zegt hij.

'O,' zegt ze.

'Bloederige weerhaken met schubben,' zegt hij.

'Juist,' zegt ze.

Viv spijbelt de rest van het semester, ondanks het feit dat Gordon belt om te horen waar ze blijft; hij laat een boodschap achter: het spijt hem als hij haar heeft ontmoedigd, hij vond haar beeldspraak mooi. Een goed taalgevoel.

Don laat haar schrikken, zodat ze het bijna uitschreeuwt. Hij staat midden op het pad en ze heeft niet gekeken waar ze liep. Hij draagt een grijze regenjas en hij is klein; dat was ze vergeten. Als ze naast elkaar staan is zij bijna even lang als hij, maar dat is het enige waarin ze op elkaar lijken. Daar waar zij donker is, is hij bleek, gebleekt. Hij heeft bijna geen wimpers, zodat hij er soms schichtig uitziet, als een slang, vindt ze, een eigenaardigheid die ze nu alleen opmerkt, zoals ze alle eigenaardigheden opmerkt (professor Dipple heeft ooit tegen haar gezegd dat haar opmerkingsgave een bewijs was van een rijk innerlijk leven), hoewel het na verloop van tijd zo verontrustend wordt dat ze moeite heeft om hem aan te kijken, omdat ze bang is dat zijn tong ieder moment naar buiten kan schieten. Maar zijn handen! Glad als melk; ze vouwen de paraplu dicht – in zijn ongerustheid heeft hij niet gemerkt dat de regen is opgehouden, de zon schijnt. Hij steekt de paraplu naar haar uit en zijn glimlach verdoezelt de strengheid van zijn stem. Hij heeft bijna een uur op haar gewacht, zegt hij. Hij begon ongerust te worden.

'Ongerust?' vraagt ze. 'Wat zou er in vredesnaam met mij gebeurd kunnen zijn?'

Ze keert haar gezicht naar het zijne en kust hem. De rij vrouwen herademt, hun monden ontspannen zich tot de vlakke glimlach die je op cameeën ziet. Ze zullen geleidelijk uit Vivs gedachten verdwijnen, ze komen alleen weer te voorschijn in bepaalde voorspelbare situaties – wanneer de dingen goed gaan, wanneer de dingen slecht gaan. Maar voorlopig zijn ze verbannen en Viv is hier alleen met haar verloofde, een man met wie ze volgende maand gaat trouwen.

Ze vlijt zich dichter tegen Don aan en stoot tegen de paraplu, de gladde zijkanten druipen op hun schouders terwijl ze elkaar onder de koepel kussen, ze zijn al met elkaar verbonden. Er zal nooit een stap terug zijn, of een tweesprong in de weg; er is ook geen uitstel van datgene wat een duidelijke richting is. Je hebt ervoor gekozen, zeggen de vrouwen enzovoort, enzovoort.

Zo zou Viv het begin van het einde beschrijven als iemand ernaar vroeg, maar het gesprek komt nooit op haar.